TIFFANY DOP

Tjibbe Veldkamp

Tiffany Dop

Lemniscaat 8 Rotterdam

Omslagontwerp: Marleen Verhulst
Omslagfoto: Van Beek Images / BrandX
© 2009 Tjibbe Veldkamp
Nederlandse rechten Lemniscaat b.v. Rotterdam 2009
ISBN 978 90 477 0140 8

Druk: Drukkerij Haasbeek b.v., Alphen aan den Rijn
Bindwerk: Boekbinderij De Ruiter, Zwolle

*Dit boek is gedrukt op milieuvriendelijk, chloorvrij gebleekt en verouderings-
bestendig papier en geproduceerd in de Benelux waardoor onnodig milieu-
verontreinigend transport is vermeden.*

1

Ik was dertien en wilde een baby. Ik trok de deur van de flat achter me dicht en dacht: als ik straks thuiskom ben ik zwanger. Ik klom over de balustrade en sprong naar beneden. Niet gevaarlijk, want we wonen op de eerste verdieping.

Het was nog vroeg, maar toch was het al warm, te warm om het hele eind naar het centrum te rennen. Ik deed het toch. In de buurt van de flat kenden mensen me. Ik wilde geen kind van een bekende. Zo iemand wilde later misschien de vader uithangen en dat was even niet de bedoeling. Ik wilde een kindje voor mij alleen.

Ik had nooit geweten dat ik dat wilde. Eigenlijk was het ook niks voor mij. Ook kinderen die niet zelf met mij gevochten hadden, kenden mijn naam: Tiffany Dop, bats veur de kop. Niemand van hen zal ooit gedacht hebben: die Tiffany Dop wil vast graag een kindje. Maar dat wilde ik dus wel. Ik had het net die ochtend bedacht.

Nu denk je misschien: Tiffany Dop, zou je daar niet een nachtje over slapen?

Nou nee. Een baby zou helemaal geweldig zijn! Beter dan geld of mooie spullen of goeie cijfers. Al die dingen kwamen niet eens in de buurt! Ik wist het helemaal zeker. Waarom zou ik dan wachten?

Toen ik bij de Grote Markt was, ging ik op een bankje van een bushalte zitten om uit te hijgen.

Mannen fietsten langs.

Ik vond mijn babyplan helemaal geniaal, maar er was één minpuntje. De seks. Daar had ik weinig zin in. Ik had het nog nooit gedaan. Ik had zelfs nog nooit echt gezoend. Maar zonder seks werd je niet zwanger, voor zover ik wist. Dus het moest maar even.

Meer mannen fietsten langs. Nette mannen, in schone shirts met korte mouwen. Sommige met koffertjes op hun bagagedrager, andere met leren tassen aan het stuur. Allemaal hadden ze haast. Thuis had ik porno gekeken. Leerzaam, hoor. Wist jij bijvoorbeeld dat seks soms vreselijk lang duurt? De vraag was of deze mannen daar wel tijd voor hadden. Ze gingen vast naar hun werk. Zouden ze het erg vinden om te laat te komen?

Een wagentje van de gemeentereiniging reed met veel lawaai achter mij langs. Een man in een oranje pak liep ernaast. Hij had geen haast. Hij sleepte een bezem achter zich aan. Toen hij voorbij was, stond ik op en volgde hem. Hij had iets van een filmster of een popster, hij was groot en sterk, en had van dat gebleekte haar. Ik keerde om en liep terug naar m'n bank. Ik wilde geen sterke man. Als het op vechten uitliep, moest ik wel een kans hebben. Niet dat ik wilde vechten. Maar het was wel iets om rekening mee te houden.

Ik zocht dus een slappe man, zonder haast. En het zou ook fijn zijn als hij een beetje schoon was. En als ik nou moest kiezen? Had ik dan liever een vieze slappe of een sterke schone?

Ik zou wel zien.

Ik zat op mijn bank in de bushalte en keek en keek, maar een geschikte kandidaat zag ik niet. Misschien moest ik naar het Noorderplantsoen. Bij de vijver met de twee fonteinen zaten vaak zwervers in het gras. Haast hadden ze niet. En er was vast wel een slappe bij. Alleen waren ze misschien niet erg schoon.

Net toen ik dat had bedacht kwam er een zwarte man langs, met een ouderwetse gleufhoed op. Hij scoorde goed! Hij leek schoner dan schoon – ik rook zelfs een mannengeurtje, ik bedoel parfum of zo. En hij leek me tamelijk slap: hij was maar iets langer dan ik en hartstikke mager, dus veel zwaarder dan ik kon hij niet zijn. Alleen op 'haast' scoorde hij slecht. Hij liep met snelle, kleine pasjes. Ik ging achter hem aan. Hij liep in de richting van de Oosterstraat. Ik volgde op een paar meter afstand. Zou ik hem aanspreken? Of zou ik wachten om te zien waar hij naartoe ging?

De man sloeg linksaf, de Poelestraat in. Halverwege bleef hij staan – voor een café, zo te zien, met dichte gordijnen. Ik bleef ook staan. Sleutels rinkelden. De man maakte één, twee sloten open en stapte naar binnen. Voor hij de deur achter zich dicht kon trekken, was ik langs hem naar binnen geglipt. Ik stond in een donkere kroeg. Links tafels met stoelen die er omgekeerd op stonden, rechts een bar.

De man zette zijn handen in z'n zij. Ik geloof dat hij iets wilde zeggen, maar ik trok mijn nepnikes uit en dat hield hem stil.

Iets waar ik goed op gelet had toen ik porno keek, was: hoe begin je met seks? Dat was verrassend simpel. Het ging zo: iemand kwam een kamer binnen of een lift of wat dan ook. Daar was dan iemand anders. En dan begonnen ze gewoon! Je hoefde niks te zeggen. En je kon kiezen uit zoenen of meteen uitkleden. Ik koos dus voor het laatste. Met uitkleden had ik meer ervaring. Ik trok m'n spijkerbroek uit en stapte uit mijn onderbroek. Mijn T-shirt hield ik nog even aan. De boodschap kwam zo ook wel over.

'En wat is hiervan de bedoeling, als ik vragen mag?' zei de man.

Nee hè, dacht ik. Kan ik alles een beetje uit gaan leggen!

Ik wees naar zijn broek, een keurige zwarte met een vouw, en gebaarde dat hij hem naar beneden moest doen. En toen schrok ik me hartstikke dood, want naast me bewoog iets. Het was een hondje. Alleen maar een hondje met hangoren dat zich uitrekte. Hij stapte met stijve poten uit zijn mand en kwam naar me toe. Zijn oren sleepten over de grond. Hij snuffelde aan mijn knieën en toen aan mijn kruis.

'Freddybennie!' zei de man met de hoed streng. 'In je mandje!'

Freddybennie negeerde hem. Ik probeerde hem terug te duwen naar zijn mand, maar hij ontweek mijn handen, want het was echt mijn kruis waar hij aan wilde snuffelen. Ik draaide hem mijn billen toe. Dat vond hij leuk. Hij begon om me heen te springen en te blaffen. Zo draaiden we samen een paar rondjes.

'Hou op, alsjeblieft!' De man met de hoed probeerde de hond te pakken, maar die liet zich niet vangen. 'Freddybennie mag zich niet opwinden!'

Ik snapte niet waarom niet, en eigenlijk had ik er wel lol in, maar goed, ik was hier tenslotte niet gekomen om rond te springen. Na een paar laatste rondjes ging ik op mijn knieën zitten. Freddybennie ging voor me liggen en liet zich over zijn buik aaien.

'Hij is al twaalf en een half, hoor,' zei de man. 'Opwinding is helemaal niet goed voor hem.' Hij probeerde de hond weer naar zijn mand te duwen, maar Freddybennie had daar geen zin in. Terwijl de man hem commandeerde, smeekte en dreigde, begon hij weer vrolijk blaffend om ons heen te springen.

Iets zei me dat dit baasje en ik vandaag geen seks zouden hebben. Dus ik trok mijn kleren maar weer aan. Freddybennie kreeg intussen genoeg van het gedoe en kroop terug in zijn mand. De man knielde bij hem neer, sloeg zijn armen om hem heen en fluisterde tegen hem.

'Dat was gezellig,' zei ik. 'Tot de volgende keer maar weer!'

'Wacht even,' zei hij, terwijl hij overeind kwam. Ik geloof dat hij opgelucht was dat ik mijn kleren weer aanhad. 'Wil je wat drinken?'

Waarom niet? Op een kruk dronk ik een chocomel uit een flesje. De man had de gordijnen opengetrokken en gele muurlampjes aangedaan. Nu stond hij achter de bar en dronk kleine slokjes thee. Zijn hoed had hij nog op. Ik rook zijn parfum – of hoe dat bij mannen heet.

'Wat was dat nou, daarnet?' vroeg hij.

'Zin in seks.' Dat ik een baby wilde, ging niemand iets aan.

Hij trok zijn wenkbrauwen op, maar zei niks.

'Heeft u wel eens seks gehad?'

'Meisje…' Hij keek me ondeugend aan. Ik geloof dat hij bedoelde dat hij al on-voor-stel-baar vaak seks had gehad. Mij hield hij niet voor de gek.

'Heeft u nog tips? Hoe je het kunt krijgen?'

'Hoe oud ben je?'

'Bijna veertien.'

'Zoek iemand onder de zestien. Niemand wil naar de gevangenis. En trek *alsjeblieft* iets anders aan. Een jurkje, een rokje, een bloes…' Hij maakte twee knoopjes van zijn witte overhemd los en leunde voorover op de bar, zodat ik in z'n overhemd kon kijken. Ik zag de botjes onder zijn vel, zo mager was hij.

'Denk aan de drie b's!' fluisterde hij.

'Welke b's?'

'Borsten, billen, benen. Begrijp je? Be sexy!'

'Is dat nodig?'

'Natuurlijk niet!' riep hij uit. Hij maakte zijn knoopjes weer vast. Het ene moment leek hij beledigd, maar het volgende moment keek hij weer ondeugend. 'Maar het helpt…'

Voor ik wegging, keken we nog even bij Freddybennie. Hij sliep als een croissantje, met zijn staart bij zijn grote oren. Hij zag er lief uit. Maar ik had toch liever een baby.

Ik zal vertellen hoe ik op het idee was gekomen.

2

De dag ervoor begon heel gewoon. Ik schrok wakker van een schreeuw. Licht verblindde me. Ik deed een hand voor mijn ogen. Door mijn gespreide vingers zag ik Sheila, mijn moeder. Ze stond in haar ochtendjas voor mijn bed, met een been in haar hand. Iemand lag op de grond, verstrikt in een laken.

'D'r oet!' riep Sheila. 'Peuk'n hoal'n!'

Ik stapte uit bed en pakte m'n spijkerbroek van de stoel. Ik sliep nog half, maar zelfs met één wakkere helft kon ik raden wat er aan de hand was. Gisteravond hadden Danny en Bruce, mijn broertjes, liggen kettingroken in bed. Dat waren vast niet hun eigen sigaretten geweest.

Danny en Bruce begonnen te protesteren. Bruce van boven uit het stapelbed en Danny vanaf de grond – het was zijn been dat Sheila vasthield. *Ik* had Sheila's peuken gejat, riepen ze, en zij niet, dus ik moest nieuwe gaan halen en kon ze hen nu laten slapen, ouwe tekendoos die ze was?

'Goa vot!' zei Sheila.

Ze was een soort talenwonder. Niemand kon 'goa vot' zoveel verschillende betekenissen meegeven als zij. Eigenlijk kon ze 'goa vot' bijna álles laten betekenen. De ene keer betekende het 'wilt u later misschien terugbellen, nu schikt het niet zo goed'. De andere keer betekende het 'twee grote friet en vier frikandellen, met extra mayonaise'. Dat laatste geloof je misschien niet, maar het is waar. Ik was erbij. De man van de Snek Plek vroeg wat ze wou hebben.

'Goa vot,' zei Sheila.

En wat kreeg ze? Twee grote friet, vier frikandellen en extra mayonaise. Doe dat maar eens na.

Hier betekende het gewoon: 'Weg jullie!' 'Goa vot' is Gronings. 'Ga weg' Nederlands. Als ze van Gronings overstapte op Nederlands moest je oppassen.

Danny probeerde zijn been los te trekken. Het was vaak niet goed te zeggen of mijn broertjes dapper waren of dom. Sheila is groter en sterker dan wij. Ze sleurde Danny aan zijn been de kamer uit. Onderweg kwam hij de drempel tegen.

Ik had intussen een schoon T-shirt uit de kast gepakt, sokken uit mijn laatje, m'n nepnikes en horloge van onder m'n bed. Het was tien voor zes. Had ik alles? Ook mijn sleutels? Ik stapte de gang op. Sheila had Danny de deur uitgewerkt. Ze trok de voordeur met een klap dicht, en liep terug naar de slaapkamer om Bruce te halen. Danny belde aan, waarbij hij de bel ingedrukt hield. Trèèèè! Sheila rende terug om Danny's vingers van de bel te slaan.

Op de galerij begon ik me aan te kleden. Sheila en de jongens gingen door met schelden, bellen, duwen en trekken. Meneer Gietema, onze bejaarde buurman, deed het gordijn open om te zien wat er aan de hand was. Mevrouw Gietema trok het weer dicht. Dat ging vaker zo bij hen. Hij open. Zij dicht.

Net toen ik helemaal aangekleed was, lukte het Sheila om de deur dicht te slaan, terwijl Bruce en Danny allebei buiten waren. Danny zat op zijn billen en wreef over een zere hand – die waarmee hij gebeld had. Hij en Bruce droegen alleen de boxershort waarin ze sliepen. Bruce had ook nog een teenslipper aan. Ze leken sprekend op elkaar. Ze hadden stiekels – is dat Gronings? Erg kort haar, bedoel ik. Verder was alles aan ze dik: hun vingers, hun nek, hun buik, noem maar op.

Toch waren ze ook heel verschillend. Bruce kon knoeperharde scheetgeluiden maken. Hij legde hierbij zijn onderarm in een buikplooi en bewoog hem op een speciaal door hem ontwikkelde manier. Danny bakte daar niks van. Maar hij kon 'Nederland o Nederland' boeren en dat lukte Bruce weer niet.

Het was natuurlijk zo oneerlijk als wat dat ik daar stond: ik had die sigaretten niet gejat. Maar ik snapte Sheila wel. En ik vond het prima. Het was al licht. Het was nog lekker koel. Ik ging een stukje lopen. Ik zag zo een twee drie niet hoe Danny en Bruce aan sigaretten konden komen, om deze tijd, zonder geld, op een halve teenslipper per persoon. Maar ze vonden er maar iets op. Bij ons thuis was het ieder voor zich.

'Tif?'

Bruce hinkte achter me aan op z'n ene slipper. Zijn buikje schudde. Hij wurmde zich langs me, zodat ik nu tussen hen in stond, op de smalle galerij. Geen goede positie als het op vechten uitliep. Dacht hij nou echt dat ik dat niet doorhad?

'Kun je ons wat lenen? Morgen terug. Ik lieg niet.'

Mijn broertjes zijn goed in lenen, maar terugbetalen hebben ze nog niet onder de knie.

Voor ik antwoord gaf, liep ik langs hem heen. Nu had ik ze weer allebei aan één kant. Het was een spel. Een serieus spel, want als je het niet goed speelde kreeg je klappen. Maar toch een spel.

'Ik heb niks,' zei ik.

'Laat je zakken dan eens voelen.'

'Mooi niet!'

Hij deed een stap naar me toe en ik deed een stap achteruit.

Ik had geen cent bij me. Maar hij bleef met z'n vingers uit mijn broek. Als ik dat één keer goedvond, zaten ze voortaan altijd in mijn zakken te graaien.

'Kom op! Alleen wat geld voor sigaretten.'

'Kom maar halen.'

Bruce en Danny zijn twaalf en ik ben dertien. Ik ben een kop groter, maar zij zijn twee keer zo zwaar als ik en vier keer zo sterk. Daarom vecht ik zo gemeen als ik kan. En ik geef nooit op. Ze weten dat ze me kunnen hebben. Maar ze weten ook dat ik ze pijn zal doen. Daarom beginnen ze meestal niet. Ik denk dat we nog maar eens in de week vechten, gemiddeld. Vroeger vochten we aan één stuk door.

'Laat maar,' zei Bruce. 'Ze heeft toch niks.'

Dat vond ik leuk, dat hij dat zei. Ik had namelijk wel geld. Ik barstte van het geld. Ik kon een breedbeeldtelevisie kopen, twee mobieltjes, drie dvdrecorders en dan barstte ik nog van het geld. Geld dat zij en Sheila meteen zouden proberen af te pakken, als ze wisten dat ik het had. Maar dat wisten ze niet.

Ik liep nog een paar passen achteruit, terwijl ik mijn broertjes in het oog hield. Ik slingerde een been over de balustrade, nog een been, en sprong van de flat. Toen ik neerkwam, veerde ik op en sprintte weg. Bruce en Danny hadden hun eigen gevoel voor humor. Zelf had ik liever niet dat ze op me spuugden.

Ik propte mijn slaapshirt en onderbroek in onze brievenbus en begon te lopen. Je had allerlei soorten flats in onze buurt. Sommige leken op de onze, veertien huizen per verdieping, negen verdiepingen hoog. Maar je had ook flats met drie verdiepingen en flats met vier verdiepingen. Ze lagen er stil bij zo vroeg – geen stemmen, geen muziek, geen verkeersgeluiden. Ik besloot geld te gaan halen, voor als ik straks honger kreeg.

Na gewoon weer de zoveelste flat hield de stad patsboem op. Ik liep over een smalle landweg, met links en rechts weilanden en af en toe een elektriciteitsmast. Na een kwartiertje kwam ik bij een kanaal. Ik sloeg linksaf en volgde het fietspad langs het water. Bij een verroest hek met een bordje met *verboden toegang art. 461 wetb. van strafrecht* bleef ik staan. Erachter lag een verwaarloosd stukje grond, met hoog gras, brandnetels en rommel: planken, bakstenen en een verroeste cementmolen.

Ik klom op het hek. Toen ik zeker wist dat er niemand in de buurt was, sprong ik er aan de andere kant af en rende over het landje naar de hoge struiken daarachter. Via een smal paadje kwam ik op een open plek, die ongeveer zo groot was als mijn bed. In het midden stond een plastic klapstoel. Ooit was hij wit geweest, maar nu was hij op veel plekken bedekt met een dun groen laagje. Ik ging zitten. Ik luisterde. Bladeren ritselden in de wind. Vliegen zoemden. Maar voetstappen of stemmen hoorde ik niet.

Naast mijn stoel lagen drie planken van ongeveer een meter lang. Ik schoof ze opzij. Er kwam een gat tevoorschijn. Ik ging met mijn borst op de planken liggen en stak mijn hand in het gat. Op ongeveer een halve meter diepte zat een holte in de wand. Ik haalde er een trommel uit met een lachend meisje erop dat net een koekje in haar mond stak. In de trommel zat een doorzichtig plastic zakje, een pedaalemmerzak, met geld. Ik hoefde het niet te tellen om te weten hoeveel het was. Nog iets meer dan vierenveertighonderd euro, het meeste in briefjes van honderd. Ik haalde er een briefje van vijf uit en stak het in m'n achterzak. De trommel borg ik weer op en de planken legde ik terug. Toen ging ik op mijn rug op het afgedekte gat liggen, keek naar de grote blauwe lucht en dacht aan juf Daan en mij, samen op het bankje rond de eikenboom op het schoolplein. Altijd als ik geld haalde dacht ik even aan haar. Het was tenslotte haar geld geweest.

Ik had het nu ruim vier jaar. Je mag me gerust zielig of gestoord vinden, maar niks bezorgde mij zoveel lol als dat geld. Niet omdat ik er fantastische dingen mee kocht, want dat deed ik niet.

Het was gewoon fijn om te hebben. Vooral wanneer er thuis ruzie over geld was.

Laatst nog, vlak voor de vakantie. Danny en Bruce boden aan om boodschappen te doen. Ik zat aan tafel huiswerk te maken. Sheila zat op de bank en liet haar blocnote zakken. Ze dacht eerst dat ze het verkeerd verstaan had. Maar nee, Danny en Bruce hadden niks te doen, zeiden ze, en ze wilden best even boodschappen voor haar doen.

'Hail laif van joe,' zei Sheila. Ze maakte een boodschappenlijst en gaf de jongens geld.

'Haalfmalen,' zei ze, toen ze de deur uit waren. Dat woord kende ik niet, maar ik gokte dat het 'stomme idioten' betekende. Zij wist ook wel dat Danny en Bruce op haar geld uit waren.

Een halfuurtje later kwamen Danny en Bruce terug. Ze zetten de boodschappen in de keuken en brachten Sheila de kassabon en het wisselgeld.

'Ie binnent d'r mit ains dat ik 't aal evenpies noatel?' vroeg Sheila.

'Huh?' zei Danny.

'Huh?' zei Bruce.

Ze doen soms of ze dat Gronings van haar niet verstaan.

Sheila telde het wisselgeld. Het klopte. Wat me niet verbaasde, want Danny en Bruce waren wel dom, maar ook weer niet zo achterlijk dat ze gewoon te weinig geld teruggaven. Sheila haalde de boodschappen uit de keuken, stalde ze uit op het kleed in de woonkamer en checkte of alles wat op de bon stond er ook was. Dat klopte ook. De jongens begonnen hem te knijpen en vroegen of ze nou eindelijk weg mochten, godsamme, hielpen ze eens een keer, was het weer niet goed. Ze moesten blijven. Sheila controleerde alles opnieuw. Het klopte weer.

'Zitten blijven!' zei ze. En ze begon opnieuw.

Wat was nou de truc? Danny en Bruce hadden dure artikelen gekocht. Die hadden ze vervolgens geruild voor goedkopere. Die hadden ze aan Sheila gegeven, met de bon voor de dure spullen. Het prijsverschil, zes euro eenendertig, hadden ze in hun zak gestoken. Tegen de tijd dat Sheila het doorhad had ze een pesthumeur. Danny en Bruce moesten het bedrag tienvoudig terugbetalen en konden niet uitrekenen hoeveel dat was. Ik zat aan tafel, luisterde naar hun ruzie om zes euro eenendertig, de klank daarvan beviel me enorm: zes euro eenendertig. Het was een toverspreuk die me blij toverde. Op zo'n moment was ik diep gelukkig met mijn geld.

De kunst was om geheim te houden dat ik het had. Daar had ik regels voor. Thuis had ik nooit meer dan één euro op zak. Ik kocht alleen in winkels in andere wijken, winkels waar Sheila, Danny en Bruce niet kwamen. Dingen die ik kocht at ik meteen op – iets anders dan eten kocht ik eigenlijk nooit. En ik vertelde niemand dat ik geld had. Dat was niet zo moeilijk. Aan wie had ik het moeten zeggen?

Op school praatte ik wel met mensen. En het hele afgelopen jaar, de hele brugklas had ik op school geen klap uitgedeeld, serieus. Maar echte vrienden of vriendinnen had ik niet. Vrienden gingen na school met elkaar mee naar huis. Ik wilde niet het risico lopen dat iemand Sheila, Danny en Bruce tegen het lijf zou lopen. Daar kon niks goeds van komen. Niet dat ik anders wel iemand had meegenomen, trouwens. Ik hoefde niet zo nodig vrienden. Wat moest je ermee?

Daar lag ik dus languit boven m'n bergplaats, geld in mijn zak en juf Daan in mijn hoofd. Ik was niet ongelukkig. We waren wie we waren, Sheila, Danny, Bruce en ik. Zij waren vals en onbetrouwbaar, maar niet valser of onbetrouwbaarder dan ik. En ik was slimmer dan zij. Aan het vechten was ik gewend. Zelf begon ik nooit meer, maar als Danny en Bruce begonnen en ik gaf ze op hun flikker, was ik trots op mezelf. Het was ieder voor zich en ik deed het niet slecht.

3

Ik zat op een stenen bankje in een winkelgebied. Ik at mini-tomaatjes uit een bakje dat ik zojuist gekocht had. Ik zag meer etalagepoppen dan mensen. De meeste winkels gingen net open. Ineens kreeg ik iets op schoot gedrukt. Een roze jasje met iets erin. Voor me stond een vrouw. Haar lichaam zwaaide vreemd heen en weer. Ze leek me niet helemaal in orde.

'Schat,' zei ze. 'Pas even op, wil je?'

Ik was niet speciaal dol op kleine kinderen. Ook niet op paarden of poesjes. Zo'n meisje was ik niet. Ik was Tiffany Dop, bats veur de kop. Maar het was zomervakantie en ik had niks bijzonders te doen, dus ik wilde best even op een kleintje passen.

'Wat krijg ik ervoor?' vroeg ik, want ik zag zakelijke mogelijk-heden.

De vrouw wiegde nog harder naar achteren en opzij. Het was vreemd dat ze niet omviel. Had ze hier soms op geoefend? Ze boog zich naar me toe. Haar gezicht zwaaide vlak voor me heen en weer. Ze rook naar de vuilstortkoker bij ons in de flat.

'Een dikke zoen.' Ze aaide onhandig over de roze capuchon en liep weg. Waarheen was moeilijk te zeggen. Ze veranderde steeds van richting.

Dus ik zat met een kindje – vast een meisje, gezien het roze. Om eerlijk te zijn speelde ik met de gedachte om weg te lopen en haar op het bankje achter te laten. Zeg nou zelf: dat was ongeveer wat je kon verwachten voor een dikke zoen. Maar ik was nieuwsgierig. Ik pakte haar onder haar oksels en draaide haar naar me toe. Ze deed me denken aan een vijfkilozak aardappelen. Misschien was ze iets groter en iets zwaarder. Ze keek me met grote ogen aan. Logisch, want wie was ik nu weer?

Zou ze kunnen lopen? Voorzichtig tilde ik haar omhoog. Ze kon staan. Ze keek naar haar blote voetjes op mijn spijkerbroek. Ze bleef kijken. Minstens een minuut staarde ze onafgebroken naar haar voetjes. Toen deed ze met één voetje een stapje. Dat vond ik grappig, net of ze daar al die tijd over nagedacht had, zo van: ik wil een stap doen, hoe ging dat ook alweer, o ja, voet optillen. Was dat alles? Eh… nee! Voet optillen, naar voren bewegen en dan ook weer neerzetten! Alleen kende ze vast nog geen woorden. Hoe dacht je al die dingen zonder woorden? Ik had geen idee. Knap was het wel.

Haar wangetjes waren rood. Had ze het soms warm? Vast, want het was al hartstikke warm, en ze had een capuchon op. Voorzichtig deed ik hem af. Ze had dunne blonde haartjes. Als je goed keek zag je haar hoofdje erdoorheen.

Ze deed nog een stap, nu met haar andere voetje. Voor de zekerheid hield ik mijn hand onder haar billetjes, ik was bang dat ze anders door haar beentjes zakte. Met mijn hulp liep ze stap voor stap naar me toe. Ze ging tegen me aan staan. Ze kon net over mijn schouder kijken.

'Aa,' zei ze.

Ze rook naar zeep – met een vleugje vuilstortkoker, dat wel.

'Aa t aa,' zei ze.

Ze sloeg een armpje om mijn hals. Ik voelde me vreemd. Een beetje huilerig, maar op een prettige manier – terwijl ik dus geen huilerig type ben. Ik aaide het meisje over haar wang. Wat was haar huid zacht! Ik aaide haar nog eens. Ineens snapte ik wat ik had. Ik voelde liefde.

Misschien vind je dat niet zo vreemd, misschien denk je, logisch, die kleintjes zijn ook zó scháttig! Dat kan zijn. Maar ik vond het idioot. Ik was Tiffany Dop, bats veur de kop. En Tiffany Dop hield niet van baby's. De ene helft van me dacht: wat een schatje! Ik hou van haar! En de andere helft dacht: Tif, kappen nou! Doe normaal!

'Fff!' zei het meisje.

Ze keek omhoog. Ik volgde haar blik. Ze keek naar de groene bladeren van een boom. Ze stond tegen me aan geleund en keek naar bladeren waar de zon op scheen. Ze stond, keek, en was blij. En ze vertrouwde me. Ze ging ervan uit dat ik haar niet zou laten vallen. Ze vertrouwde waarschijnlijk de hele wereld. Echt dom!

'Dat is een boom,' zei ik zacht.

'Fff!' zei ze.

Mijn ogen werden nat. De ene helft van me riep: ga je nou ook nog zitten janken? Mietje! Maar de andere helft van me trok zich daar niks van aan, en die helft was nu de baas en had ook wel iets anders aan zijn hoofd, want haar wangetjes waren nog steeds veel te rood. Ik voelde in haar hals wat ze allemaal aanhad. Onder het roze jasje zat een T-shirtje, en daaronder ook nog een hempje! Drie laagjes! Dat was toch veel te warm? Het was nu al minstens vijfentwintig graden in de schaduw!

'Aardappelzakje,' fluisterde ik. 'Ik maak je knoopjes los, een, twee, allemaal los. Nu kan je jasje uit, eerst je ene arm, dan je andere arm. Beter zo?'

Ze legde een handje tegen mijn natte wang. Ik keek waar ze naar keek, en vertelde haar wat ik dacht dat ze zag. Ik bestond niet langer uit twee helften. Ik was mezelf en het meisje op mijn schoot was het liefste dat ik ooit had gezien.

Ik weet niet hoe lang we daar zaten. Tien minuten? Een kwartier? Toen piepten achter me alarmpoortjes.

'Blijf van me af!'

Ik draaide me om. Het was de moeder van het meisje. Twee bewakers probeerden haar vast te pakken. Ze sloeg hen van zich af. Toen ze haar toch vastgrepen, liet ze zich op de grond vallen. Ze werd evengoed de winkel in gesleurd.

Ik stond op en begon te lopen, terwijl ik het meisje tegen me aan drukte. Ik wilde haar niet stelen. Ik had geen plan. Ik wou haar alleen nog iets langer vasthouden. Dit was een kans.

Ik was aan het eind van het voetgangersgebied, toen ik iemand hoorde roepen:

'Hee! Stop!'

Ik keek niet om, maar stak de straat over. Ik hoorde een auto remmen en toeteren, maar ik wist niet of het dichtbij was of ver. 'Blijf staan!' Ik snelwandelde verder – ik durfde niet te rennen, vanwege het meisje in mijn armen. Onder het lopen keek ik achterom. Shit! Ik had een bewaker achter me aan! Hij stak ook de straat over. Zou ik toch rennen? Rennend was ik sneller dan hij. Maar ik had het meisje in mijn armen. Hij zou me inhalen. Ik bleef staan en draaide me om.

De bewaker kwam puffend op me af.

'Die is niet... van jou... toch?' hijgde hij. 'Geef hier.'

Hij probeerde het meisje van me over te nemen. Dat kon-ie vergeten.

'Schiet op, wicht,' zei hij. 'D'r moeder wordt hysterisch.'

Ik liep met hem mee terug. Ik hield het meisje stevig vast, haar hoofdje in mijn hals.

De bewaker ging me voor, de winkel in. Door een passpiegel die een deur bleek te zijn stapten we een kantoortje binnen. De moeder sprong op van haar stoel en nam het meisje van me over, maar zo ruw dat ze begon te huilen. De vrouw keek me vuil aan – alsof het *mijn* schuld was dat haar kind huilde. Misschien wist ze dat ik ervandoor was gegaan met haar meisje. Misschien had de andere bewaker dat verteld.

Maakt het uit, zei ik tegen mezelf.

Ik draaide me om, liep het kantoortje uit en deed de deur achter me dicht. Het meisje begon nog harder te huilen. Ik probeerde er de lol van in te zien, maar ik was er niet voor in de stemming. Ik liep de winkel uit. Ik was boos. Boos op de moeder die zichzelf liet arresteren terwijl ze voor het meisje moest zorgen. Boos op die uitslover van een bewaker. En het allermeest was ik boos op mezelf. Wat een sukkel was ik. Waarom had ik dat kind niet meteen teruggegeven? Dan had ik me nu niet zo rot gevoeld.

4

Het roze jasje lag nog op de stenen bank, precies op de plek waar ik het had neergelegd, naast de bak tomaatjes. De bak nam ik mee, het jasje liet ik liggen.

Kan het schelen, zei ik tegen mezelf. Tijd om te zwemmen!

Ik liep naar de Hoornse Plas. Voor het geval je niet uit de buurt komt: het is water, strand, grasvelden met schaduw en grasvelden met zon. Het was een eind lopen, lang genoeg om het goed warm te krijgen. Dus ik liep meteen door het water in, met mijn kleren aan. Mijn badpak lag thuis en ik had vast niet binnen mogen komen om het te pakken. Niet voordat Sheila haar peuken had.

Toen ik afgekoeld was, kwam ik eruit en ging op het gras liggen. Ik liet me opdrogen in de zon.

Bijna elke warme dag was ik hier geweest, deze vakantie. Maar nog nooit had ik hier zoveel kleine kinderen gezien. Of ik nou links keek of rechts, overal zag ik kindjes: kindjes in het ondiepe water, kindjes in het zand, kindjes onder parasollen, kindjes bij hun moeder op de arm, kindjes bij hun moeder op schoot, kindjes, kindjes, kindjes, alle kindjes uit Stad en Ommeland krioelden om me heen bij de Hoornse Plas.

Ze deden maar. Ik sprak geen enkele moeder aan. En ik ging zeker niet aanbieden om op een kleintje te passen. Ik was mezelf weer. Ik was niet dol op kleine kinderen en ook niet op paarden of poesjes. Zo'n meisje was ik niet. Ik was Tiffany Dop, bats veur de kop. Een jongetje kwam aanwaggelen met een geel emmertje in de hand. Hij kiepte het leeg boven mijn benen, dus mijn natte broek zat onder het zand. Ik keek hem woest aan. Maar ergens was ik hem wel dankbaar, want dit bewees maar weer dat kinderen knap irritant kunnen zijn.

Ik deed mijn ogen dicht en probeerde te slapen, zodat ik het kleine grut niet zou horen.

Iets voor zessen liep ik onze straat in. Als we warm aten, was het vaak om zes uur. Het zou verdacht zijn als ik niet meeat. Niemand moest op het idee komen dat ik zelf geld had om eten te kopen.

Op het parkeerterrein naast de flat zag ik Danny en Bruce. Ze duwden om de beurt een jongetje tegen zijn borst. Bij elke duw deed hij een stapje naar achteren. Het was Giovanni de Boer, een mager mannetje. Hij was een jaar of negen en woonde ergens boven in de flat.

Danny en Bruce hadden nog altijd geen schoenen aan. Bruce z'n slipper was verdwenen. Wel droeg hij een strak geel sportbroekje. Danny had een trainingsbroek aan, waarvan hij de pijpen had opgerold. Geen kleren die ik kende, dus waarschijnlijk gejat, maar niet uit een winkel, want dan hadden ze wel iets coolers gekozen. Misschien van een waslijn.

Ineens had Giovanni genoeg van het geduw. Hij schopte Bruce hard tegen z'n knie. Bruce schreeuwde het uit en hinkte achteruit. Danny nam zijn bokshouding aan en probeerde Giovanni een stoot te verkopen, maar Giovanni dook weg, greep Danny vast, en smeet hem met een heupworp op het asfalt. Dat deed-ie knap, zeker als je bedenkt dat Danny twee keer zo zwaar was als hij. Danny probeerde overeind te komen, maar Giovanni dook op hem en begon hem op zijn gezicht te timmeren. Danny probeerde hem af te weren, maar zonder veel succes. Bruce hinkte intussen op een veilige afstand heen en weer.

'Je hond is een hoer!' schreeuwde hij. 'Je hond is een hoer!'

Hij zag mij.

'Tif! Pak jij hem van voren, dan pak ik hem van achteren!'

Ik schudde mijn hoofd. Hij zou mij ook niet geholpen hebben. Bij ons is het ieder voor zich, dat zei ik al. Bovendien had ik niks tegen Giovanni.

Hulp was trouwens ook niet meer nodig, want Giovanni sprong al van Danny af. Hij deed een dreigende stap in de richting van Bruce, die zich gauw achter mij verstopte. Giovanni grijnsde naar me. Ik zag niks van de spanning, de slappe benen en de trillende knieën waar ik soms last van had als ik gevochten had.

`Volgende keer maak ik ze dood,' zei hij.

'Doe dat,' zei ik.

Hij slenterde weg.

Danny kwam moeizaam overeind. Zijn gezicht zat onder het bloed. Toen hij min of meer rechtop stond maakte hij een boksbeweging in slow motion.

'Ik had em bijna!'

Ja ja.

'Ik wist niet dat Giovanni een hond had,' zei ik tegen Bruce.

'Dus?' zei Bruce.

'Je zei dat zijn hond een hoer was.'

Bruce schudde zijn hoofd, verbaasd over mijn domheid.

'Dat is iets wat je zégt. *Je hond is een hoer.* Snap je? Het maakt niet uit of die luzelul een hond heeft.'

Danny en Bruce hingen vaak rond op het pleintje voor de Snek Plek, waar grote jongens op hun brommers zaten te roken. Ik denk dat iemand mijn broertjes les had gegeven in straattaal, misschien Vette Ap, en dat-ie een geintje met ze had uitgehaald.

Maar Bruce kon het ook zelf bedacht hebben. Als het om schelden ging, waren ze verrassend creatief.

'Hij heeft een goudvis,' zei Danny.

'Nou en?' Bruce werd nijdig. 'Moet ik soms zeggen: "je goudvis is een hoer"? Bedoel je dat?' Hij schreeuwde in de richting waarin Giovanni verdwenen was. 'Hee Gio! Je goudvis is een hoer, man!'

'Ik zeg alleen dat hij een goudvis hééft,' zei Danny. Hij gaf Bruce een duw.

'Je hebt zelf een goudvis,' zei Bruce. Hij gaf een duw terug.

Intussen liepen we in de richting van de ingang van de flat.

'Is het nog gelukt met de sigaretten?' vroeg ik.

Bruce haalde een pakje uit de zak van zijn strakke broekje en smeet het naar mijn hoofd. Ik raapte het op. Het was leeg. Echt iets voor hen. Hadden ze sigaretten weten te krijgen, God weet hoe, rookten ze ze zelf op. Dapper of dom, je wist het niet.

We liepen de portiek in. Rechts waren de brievenbussen van de hele flat. Links was de deur naar de lift en de trap. We hebben allemaal sleutels, maar die dag was ik de enige die ze bij zich had. Dannny en Bruce gingen op de lift staan wachten. Ik nam de trap.

Er was een kans dat Sheila geen zin had in gezeur en ons met rust liet, of we nou sigaretten bij ons hadden of niet. Ik liet mezelf binnen en keek in alle kamers. Zoveel zijn dat er niet. Sheila was niet thuis.

In de woonkamer vond ik wel Waailap, blikje bier in z'n hand. Hij zat op een van de banken – stoelen hebben we daar niet, alleen twee banken. Waailap was een klein mannetje en al best oud. Vijftig of zestig of zo.

'Wichie,' zei hij schor. Hij wenkte me, maar vergat het blikje en knoeide bier op z'n broek. Hij staarde naar de natte plek. Hij wenkte me met z'n andere hand.

Sheila had vrienden. Klanten was een beter woord. Ik denk dat ze haar betaalden voor seks. In ieder geval betaalden ze haar ergens voor, want altijd als ze bij een vriend was geweest kwam ze thuis met geld. De meesten hadden een auto waar ze in stapte. Waailap was de enige die bij ons thuis kwam. Misschien betaalde hij meer. Misschien had hij geen auto.

Ik liep naar hem toe. Hij keek om zich heen, wenkte dat ik dichterbij moest komen, en boog zich naar me toe.

'Ik heb negroïde tandvlees,' fluisterde hij. Hij keek me doordringend aan.

Ik wachtte of er meer kwam, maar dat was het. Ik mocht hem wel, maar er was beslist een steekje aan hem los.

'Sheila zal zo wel komen,' zei ik.

Ik liep naar de keuken, pakte brood uit de kast en zette het op de keukentafel. Ik zou wat smeren om mee te nemen en dan was ik weer weg.

Danny en Bruce, die hadden gewacht om te zien of ik het huis uitgeschopt zou worden, hadden besloten dat ze veilig konden binnenkomen. Danny waste het bloed van zijn gezicht bij de gootsteen. De schade viel nogal mee zo te zien. Een bloedneus en een dikke lip, dat was alles. Intussen bespraken ze hoe ze Giovanni het beste hartstikke dood konden maken.

'Wat heeft hij jullie gedaan?' vroeg ik.

'Gaat je niks aan,' zei Bruce. 'Maar als je het echt wilt weten, die schieterd wil niet betalen.'

'Betalen waarvoor?'

'Preteksjen.'

Protection. Grappig! Als iemand geen behoefte had aan bescherming, was het Giovanni de Boer. Dat had hij net laten zien.

We hoorden de sleutel in de voordeur. Het geluid zette ons stil. De kraan liep nog wel en maakte ineens enorme herrie in de

27

gootsteen. Sheila verscheen in de keukendeur, in een kort rokje en een strak hempje waarin je haar borsten goed zag. Voor dit soort hempjes deed meneer Gietema het gordijn open en mevrouw Gietema het gordijn dicht.

Sheila had een witte plastic zak in haar hand en de keuken vulde zich met de geuren van de Snek Plek.

'Goiendààg!'

Dat was Gronings, dus ze had geen al te erge pestbui. Maar dat kon zo veranderen. Ze kon ons eruit gooien of ze kon ons laten blijven. Zij was de baas en ze deed wat ze wou. Ze keek ons een voor een aan.

'Hemmen joe wat veur mie?'

'Morgen krijg je je sigaretten,' zei Danny. 'Ik lieg niet.'

'Loat moar noa.'

Danny en Bruce keken opgelucht. Maar ik gokte dat er nog iets kwam. Als je Sheila's sigaretten jatte, kwam je er niet vanaf met een dagje op straat alleen.

''k Heb joen vechtdvd's inruild en veur 't geld sigaretten kocht.'

'Toch niet de Freefights?' riep Bruce.

Ze hadden Freefight 12 tot en met 18 of zo. Het waren hun lievelingsdvd's.

Sheila gaf geen antwoord. Ze zette de plastic tas op de keukentafel en vouwde hem open.

Bruce vocht tegen zijn tranen.

'En van Tif? Wat heb je van haar ingeruild?'

'Niks.'

Ik denk niet dat ze niks van mij had ingeruild omdat ik onschuldig was. Ik denk dat ze te lui was geweest om iets te bedenken.

Danny en Bruce keken naar de keukenvloer. Ze stonden in tweestrijd. Ik zag het. Ze wilden ruzie maken over de dvd's, en ruzie omdat Sheila niks van mij had ingeruild, maar ze roken de patat

en de frikandellen. Als ze ruzie maakten, konden ze die vergeten.

Hun eetlust won. We aten voor de tv, bij Waailap, met de gordijnen dicht vanwege de zon. De jongens zetten hem op snooker.

Terwijl we daar zo zaten, de jongens op een bank, Sheila en Waailap op de andere en ik naast Sheila op de leuning van de bank,
dacht ik: we lijken wel een gezin.

Danny, Bruce en ik wisten niet veel van onze vaders. Sheila
praatte wel over ze, maar bij voorkeur als ze een pestbui had.
Voor mijn vader was ze naar Groningen gevlucht. Hij was een
gestoorde klootzak. De vader van Danny en Bruce was meer een
sukkel. Hij was uit een luchtballon gevallen en toen verdronken
in een sloot – wat ergens best knap was, ik bedoel, het zou je niet
lukken als je het probeerde. Maar Sheila was er goed pissig om
geweest, want vlak daarvoor had ze hem geld geleend en dat ging
toen naar zijn weduwe.

'Weet je wat ik heb?' vroeg Waailap ineens.

Sheila zuchtte.

Ik denk dat ze wist wat hij had.

5

Die nacht lag ik wakker. Ik dacht aan het kleine meisje. Ik zag haar voor me. Haar rode wangetjes, haar verbaasde blik, haar dunne blonde haartjes. Ik dacht aan wat ze allemaal gedaan had: de stapjes, de geluidjes en hoe ze me had omhelsd. Ik dacht aan wat ik gedaan had: ik had haar opgetild, haar vastgehouden, haar capuchon afgedaan, haar jasje uitgetrokken.

Ik legde een vinger tegen mijn wang en deed of het haar handje was. Ik legde een vinger tegen mijn wang en deed of het haar wang was. Ik hield mijn armen zoals ik ze had gehouden toen ik haar vasthield. Ik was van top tot teen gelukkig.

Maar dat gevoel verdween. Mijn wang was gewoon mijn wang, mijn vinger was gewoon mijn vinger en mijn armen waren leeg. Ik wilde haar weer optillen, weer met haar praten, weer voor haar zorgen, maar in gedachten zag ik de vuile blik van haar moeder. Het was duidelijk. Ik zou het meisje nooit meer vasthouden.

Dat idee kneep mijn keel dicht – dat klinkt aanstellerig, maar zo voelde het echt. Ik kreeg geen adem meer. Ik schoot rechtop, en hapte naar lucht, maar dat hielp niet, ik stapte uit bed en knipte het licht aan. Danny begon te vloeken en te roepen dat ik het licht weer uit moest doen, nat gat dat ik was. Om de een of andere reden kreeg ik daardoor weer lucht.

Ik deed het licht uit en ging weer liggen. Het was nog donker buiten, maar de vogels floten al.

De situatie was simpel. Ik wilde het meisje weer vasthouden.

Maar dat was lastig: ze was niet van mij en haar moeder vertrouwde mij niet meer. Dus het zou handiger zijn als ik zelf een kindje kreeg.

Ik sloop in m'n onderbroek en slaapshirt naar de woonkamer. Daar bleef ik lopen, rondjes over het kleed, van het raam naar de deur en terug. Als ik een baby had, een baby van mij en van niemand anders, dan zou ik voor hem zorgen. Als ik een baby had, dan zou ik hem aankleden, en eten geven, en hij zou in een wiegje slapen naast mijn bed. Stel je voor. Ik zou gelukkig zijn. Ik bleef lopen, omdat ik niet stil kon staan van opwinding.

Wat zou Sheila ervan vinden? Een baby kostte geld. Luiers. Eten. Kleertjes. En op dingen die geld kostten was ze niet dol. Maar ik wedde dat ze de baby dolgraag vast zou houden. Ze had ons toch niet voor niets gekregen? Ze zou het vast heerlijk vinden, een kindje in huis. En anders had ze pech, want als ik een kindje had, dan had ik een kindje. En daar kon dan niemand meer iets aan veranderen.

Het werd licht. Vroege zonnestralen schenen door de gordijnen en toverden de kamer oranje. De vogels kwetterden nog harder dan net, met z'n allen door elkaar. Ik wilde een baby. Het was heerlijk om dat te weten. En het gaf me meteen iets te doen vandaag.

Even praktisch, zei ik tegen mezelf.

Hoe je níet zwanger moest worden, dat wist ik wel zo'n beetje. In groep acht had ik alles geleerd over condooms en 'nee zeggen'. Maar wist ik ook hoe je wél zwanger werd? Ik dacht van wel. Bij Bruce en Danny was het de halve dag 'zaad dit' en 'doos dat'. Daar stak je toch wat van op. Maar ik had het nog nooit gedaan, dat zei ik al, dus een beetje bijles kon geen kwaad. En Sheila had een rek vol porno. Daar keek ze soms naar met Waailap. Ik had wel eens een paar tellen gezien, maar nooit echt gekeken.

Ik stopte op goed geluk een schijfje in de dvd-speler. Ik weet niet of jij ooit porno gezien hebt, maar ik kan je dit zeggen: de Teletubbies zijn spannender. Een man stopt z'n piemel in een vrouw. En dan gaat-ie heen en weer. Even vond ik dat interessant. Maar het gíng maar door. Heen en weer en heen en weer en heen en weer. Het was zo saai dat het grappig werd. En dan die geluidjes! De mannen hoorde ik eigenlijk niet, maar de vrouwen kreunden en gilden, zelfs met het geluid zacht klonk het nog keihard: 'huh huh huh ah ah aaah'. En dat dus eeuwenlang. Echt niet te filmen zo grappig. Ik werd er giechelig van. Ik probeerde nog een paar andere dvd's, maar ze waren allemaal hetzelfde.

Ineens piepte de deur. Waailap wankelde de kamer in, in een grote witte onderbroek, waar magere beentjes onderuit staken.

'Wichie.' Hij ging naast me op de grond zitten en keek van de tv naar mij. 'Ik heb…'

Hij dacht na, maar de dvd leidde hem af. Ik drukte op stop.

'Negroïde tandvlees?' vroeg ik.

'Jij ook?' vroeg hij.

Het bleek dat hij de keuken zocht. Ik bracht hem erheen, gaf hem een glaasje water, en bracht hem terug naar Sheila's kamer. Daarna smeerde ik een paar boterhammen. Met mijn gedachten was ik nog bij de dvd van net. Zin in seks had ik er niet van gekregen. Maar ja. Dood zou ik er ook niet van gaan.

Wat ging ik doen? Ontbijten. Douchen. En dan maar eens op zoek naar een man.

Zo kwam ik bij de zwarte man met de hoed en Freddybennie terecht.

6

Ik slenterde langs de rekken in een klerenwinkel.

Trek eens iets anders aan, had de zwarte man gezegd. Be sexy!

Mijn eerste reactie was: ja duh! Mooi niet! Ik droeg wat ik bijna altijd droeg: een spijkerbroek en een zwart T-shirt. Heel geschikt om in te rennen of in te vechten. Maar sexy, nee, en dat was precies goed. Ik wilde niet dat alle meneren Gietema van de wereld naar mij gingen zitten loeren.

Maar de man met de hoed had vast gelijk. Ik moest een uitzondering maken. Tijdelijk.

Ik koos een roze zomerjurkje met bandjes over de schouders. Ik trok het aan in een pashokje en bekeek mezelf in de spiegel. Van voren. Van opzij. Dat wil zeggen: iemand bekeek zichzelf, maar Tiffany Dop was het niet. Die droeg geen roze, geen jurkjes, en al helemaal geen roze jurkjes. Maar het ging er natuurlijk niet om of ik mezelf was. Het ging om mijn kansen op een kindje.

Over sexy gesproken, hoe zat het met mijn drie b's? Ik inspecteerde mezelf in de passpiegel.

Op benen scoorde ik vast wel goed. Mijn benen waren lang en slank en dit jurkje was kort genoeg om ze goed te laten zien. Wat de billen in het rijtje deden, snapte ik eigenlijk niet. Moesten ze dun zijn of dik of ertussenin? Hoe dan ook, mijn billen waren niet mijn grootste probleem. Dat waren mijn borsten. Die waren er eigenlijk niet. Ik had wel iets, maar dat moest je weten, anders keek je eroverheen.

Ik schoof het gordijntje van het pashok opzij en stapte de winkel in – in dat jurkje. Het woog niks en het voelde of ik in mijn onderbroek rondliep. Ik vond wat ik zocht, hokje weer in, even prutsen, nog even prutsen, aargh, kill! kill! Maar toen had ik borsten. Dat wil zeggen: een beha met vulling. Mijn vermomming was af.

Ik stak mijn nieuwe borsten vooruit en probeerde wat vrouwelijke gebaren. Heup opzij, hand op mijn heup, heup andere kant op. Ik werd er giechelig van en dat was goed. Als ik er toch idioot bij ging lopen, kon ik er maar beter lol in hebben. Ik maakte een extra knoopje los van de jurk, zodat je de bovenkant van de beha zag. Ik schudde mijn haren los, hoewel ze daar eigenlijk te kort voor waren.

Het volgende probleem was: hoe kocht ik deze kleren zonder dat Sheila, Danny en Bruce erachter kwamen dat ik geld had?

Daar had ik een plan voor klaarliggen. Om te beginnen rekende ik uit hoeveel de kleren samen kostten: vierendertig euro negentig. Ik vroeg aan het meisje aan de kassa of ze de kleren voor mij apart wilde hangen. Toen liep ik naar huis.

Sheila zat op de bank met pen en papier, in haar onderbroek, met haar Gronings woordenboek.

'Gras dat zwimt, vair letters.'

Ze verzon cryptogrammen in het Gronings. Die stuurde ze dan naar de Groninger Gezinsbode, een huis-aan-huisblad, dat ze niet plaatste. Ze las altijd omschrijvingen voor aan Danny en Bruce. Een soort van pesterij denk ik, want Danny en Bruce begrepen niet wat een cryptogram was.

'Geen idee,' zei ik. 'Mag ik kleedgeld?'

Ze liet haar papiertje zakken.

'Eerste letter 'n h.'

'Ik vroeg of ik kleedgeld mag.'

'Goa vot.' In dit geval betekende het: 'Je maakt zeker een grapje?'
'Andere mensen krijgen kleedgeld en zakgeld,' zei ik. 'Twee dingen. Kleedgeld en zakgeld.'
'Kin nait. Zalkt zeggen? Haai. Begripst? Gras dat zwimt. Haai.'
Ik smeet de kamerdeur achter me dicht zo hard ik kon. Tot zover ging alles volgens plan. Ik snapte hem trouwens wel. Haai was Gronings voor hooi.
Ik wandelde naar m'n bergplaats, haalde vijftig euro uit de koektrommel, ging terug naar de winkel en vroeg om de kleren. Het meisje achter de kassa leek niet veel ouder dan ik. Om haar ogen was het zwart.
'Wil je de beveiligingsdingen erop laten zitten?' vroeg ik.
'Joh! Dan gaat straks het alarm af!'
'Het is voor een weddenschap.' Ik zei het zacht alsof ik me er een beetje voor schaamde. 'Ik wil er best extra voor betalen. Is dit genoeg?' Ik legde het briefje van vijftig op de toonbank.
Het meisje liep met me mee naar de poortjes bij de uitgang. Toen die begonnen te piepen, zei ze tegen de bewaker dat het goed was. Onderweg naar huis gooide ik de kassabon en de plastic tas die ik bij de kleren had gekregen in een prullenbak.
Nu kwam het lastigste deel.
Thuis liep ik de woonkamer in, de kleren verborgen achter mijn rug. Sheila zat nog altijd op de bank met haar puzzelgereedschap, pen, papier en woordenboek. Ik pakte de schaar uit de la in het dressoir en liep terug naar de deur.
'Wat hest doar?'
'Niks.'
'Loat sain!'
Ik smeet de kleren voor haar op de grond.
'Ik zei toch dat ik nieuwe kleren nodig had! Dan moet je me maar geld geven!'

'Goa vot!'

Hier betekende het: nou moe!

Sheila raapte de kleren op en nam ze mee naar haar slaapkamer.

Ik ging naar mijn kamer. Het was er stikbenauwd, dus ik zette het raam open, en stak mijn hoofd naar buiten. Het hielp weinig, want het was drukkend. Onweerweer.

Sheila kwam binnen. Ze legde de kleren op mijn bed. Ze had de alarmlabels eraf gehaald. Daar heeft ze een kniptang en een magneet voor. Ik wachtte tot ze wegging, maar ze bleef in de deur staan roken.

'Dou ains aan.'

'Nee.'

'Tou nou moar. Hmm?'

Ze keek toe, terwijl ik me uitkleedde. Dat beviel me maar matig. Normaal lette ze absoluut niet op me. Ze keek toe, terwijl ik de beha en het jurkje aantrok. Dat beviel me nog minder. Ze knikte goedkeurend.

'Kin minder.'

Ik dacht dat Sheila gewoon blij was dat ik iets nieuws had, zonder dat het haar een cent had gekost. Ikzelf was tevreden dat ik haar voor de gek had gehouden.

Ik ging onder de douche. Ik had het gevoel dat Sheila's blikken me plakkerig hadden gemaakt, maar het zal wel van al dat geloop in de warmte gekomen zijn. Om kwart voor drie stond ik weer op de galerij, net als die ochtend. Verschil was dat ik er nu beresexy uitzag. Weer trok ik de deur achter me dicht. Met een beetje geluk was ik toch nog voor het avondeten zwanger.

Waar vond ik een jongen van mijn leeftijd?

7

Ik liep naar de bibliotheek in het centrum. Het is daar verboden voor honden. Dat was een zorg minder. En op de jeugdafdeling in de kelder staat een PlayStation waar altijd jongens rondhangen.

Maar die dag niet. De PlayStation stond uit en de kelder was verlaten. Terwijl het er wel heerlijk koel was. Alle jongens waren op vakantie of lagen in het zwembad.

Toen ik terugliep naar de trap zag ik er toch één. Hij zat te lezen op een van de banken die bij de houten bakken met strips stonden. Ik pakte ook een stripboek uit een bak en ging bij hem op de bank zitten. Ik bladerde in mijn boek, zogenaamd, maar eigenlijk bekeek ik hem. Hij was behoorlijk ideaal. Haast had hij duidelijk niet, sterk leek hij me ook niet en hij zag er schoon uit. Hij was in één woord: net. Net shirt, net haar, nette alles. Niet het coole type. Meer het type studentje.

Tijd voor actie!

De sleutel van de kinderwc's staat in een plastic bak op het bureau van de bibliothecaresse. Ik pakte de sleutel – het was een klein sleuteltje, maar er zat een enorme rechthoekige sleutelhanger aan. Zodat de kleine kinderen hem niet verliezen, denk ik. Ik ging naast de jongen zitten.

'Hallo,' zei ik.

Hij keek een seconde op.

'Hallo,' zei hij, terwijl zijn ogen alweer aan het lezen waren.

'Ik wil je wat vragen.'

Hij liet zijn boek zakken.

Ik keek hem doordringend aan. 'Kom je even mee naar de wc? Ik weet dat het misschien gek klinkt, maar ik heb hulp nodig.'

Hij duwde met z'n middelvinger zijn bril omhoog op zijn neus. 'Nu?'

Een bibliothecaresse kwam aanlopen. Ze duwde een kar, die was volgeladen met boeken. Ik wachtte tot ze uit de buurt was.

'Nu,' zei ik.

Ik stond op en liep richting wc's. Hij kwam achter me aan. Ik had weer het vervelende gevoel dat ik weinig of niks aanhad. Zodra ik zwanger was ging deze jurk bij het vuilnis.

We gingen de wc's binnen en ik draaide de deur achter ons op slot. We stonden in een klein halletje. Links was een wc en rechts ook.

Zoenen of uitkleden was weer de vraag. Ik ritste m'n jurk van achteren los, deed de bandjes van mijn schouders, en liet de jurk vallen. Terwijl ik dat deed glimlachte ik de jongen bemoedigend toe. Nu moest hij iets uittrekken of me gaan zoenen. Hij deed geen van beide. Hij tuurde naar de muur achter mij.

Voor de duidelijkheid trok ik mijn onderbroek ook nog uit. Nu droeg ik alleen nog de beha, maar die wilde ik aanhouden – uit strategische overwegingen. Ik kuchte om zijn aandacht te trekken. Hij keek me aan. Zijn blik kon ik niet precies thuisbrengen. Misschien was het een blik die met seks te maken had. Misschien keek hij ook alleen maar ongemakkelijk.

'Nu trek jij wat uit,' zei ik.

'Ik hoef niet.'

Hij dacht dat ik me had uitgekleed om naar de wc te gaan!

'Ik ook niet.' Ik keek hem veelbetekenend aan, hoopte ik, en deed een stap in zijn richting. Hij wilde een stap achteruit doen, maar hij stond al tegen de wc-pot aan en viel naar achteren waardoor hij met zijn billen op de bril terechtkwam.

'Ik wil seks.' Het kwam er niet aardig uit, dus ik voegde eraan toe. 'Graag. Met jou. Nu.'

Hij duwde zijn bril weer omhoog.

'Hoezo?'

'Ik wil je ervoor betalen,' zei ik. 'Zeg maar hoeveel je wilt. Tien euro?'

Hij zat nog altijd op de wc.

'Hoezo wil je seks? Je kent me niet eens.'

'Twintig euro. En ik koop een stripboek voor je. Maakt niet uit hoe duur. Maar dan moet je nu beslissen. Oké? Jij mag het zeggen. Wil je de twintig euro? Wil je het stripboek?'

'Wil je soms een baby?' zei hij.

Daar baalde ik van. Het was mijn geheim en hij had er niks mee te maken. Ik zocht wel een ander. Waar was mijn onderbroek gebleven?

'Wil je echt een baby?'

Zo ver kon die onderbroek toch niet weg zijn? Waar was-ie?

'Dat vind ik, om eerlijk te zijn, geen goed plan,' zei de jongen.

Mijn jurk zag ik wel, dus toen trok ik die eerst maar aan.

'Ik zou je echt willen adviseren te wachten tot na je vijfentwintigste, voor je eigen bestwil en in het belang van het kind…'

Wilde je gewoon seks, kreeg je een toespraak.

'Hou je mond,' zei ik.

'Ik heb van nabij meegemaakt wat een werk een kind met zich meebrengt. Als tienermoeder sta je voor een scala aan problemen.' Hij pakte mijn onderbroek uit het fonteintje en hield hem omhoog.

Ik griste de onderbroek uit zijn handen. Hij had geluk dat ik niet meer vocht met onbekenden, anders had ik hem meteen

een scala aan klappen verkocht. In plaats daarvan sloot ik hem op. De sleutel met de sleutelhanger bracht ik terug naar de tafel van de bibliothecaresse. Terwijl ik terugliep langs de wc's hoorde ik de jongen op de deur bonken en roepen dat hij opgesloten zat. Net of ik dat niet wist. Veel lawaai maakte hij niet, en dat vond ik typisch iets voor hem, om te bonken, maar dan wel beschaafd. Maakt het uit, zei ik tegen mezelf, terwijl ik de trap naar de begane grond op liep. Mannen zat.

8

Waar gaan mannen heen die seks willen? Naar de straat met de rode lichtjes. Op de hoek bleef ik staan. De mannen die hier kwamen waren vast boven de zestien. En ik niet. Maar dat was hun probleem.

Een reusachtige zwarte vrouw stond te kletsen met een magere blanke. Ze hadden kleine bikini's aan, maar droegen wel laarzen tot boven de knie. Verderop zat een gekleurde vrouw op een klapstoeltje. Ook zij was bijna helemaal bloot. Een auto reed langzaam de straat door.

De magere blanke vrouw kwam op me af.

'Begin je net?'

Ik probeerde te kijken alsof ik niet wist waar ze het over had.

'Niet doen,' zei ze. 'En als je het toch per se wilt, dan niet in onze straat. Begrepen?'

Ik liep door.

'Kom maar eens kletsen!' riep ze me na.

Ik sloeg de eerste de beste hoek om. Een auto kwam naast me rijden. Ik weet weinig van auto's, maar dit was duidelijk een dure. Hij was een paar maten groter en hoger dan een gewone auto. Uit het open raam stak een elleboog. Om de elleboog zat de mouw van een pak, een kantoorpak. Ik bleef staan. De auto stopte ook.

'Stap maar in.' Het was de stem van een man. Zijn gezicht kon ik niet goed zien, want het zat verborgen in de schaduw. Ik zag wel zijn hand op het stuur. Daar scheen de zon op. Het was een schone hand met blonde haartjes. Hij was groot, die hand, dus de man zou ook wel groot zijn. En sterk.

'Stap maar in,' zei hij weer. 'Ik kan je vriend zijn.'

Ik moest ineens denken aan de stilte van de mannen op de pornodvd's en de vreemde geluiden die de vrouwen maakten. Het zweet brak me uit en ik wilde wegrennen. Maar ik was Tiffany Dop en van een beetje seks was nog niemand doodgegaan. Hoopte ik.

'Ik hoef geen vriend,' zei ik. 'Ik wil seks.'

'Stap maar in.'

'Een hele goedemiddag meneer, weet u toevallig hoe oud dit meisje is?'

Het was de nette jongen uit de bibliotheek.

De man vloekte en de auto scheurde weg, de straat uit, een hoek om. In een paar tellen was hij verdwenen. Ik keek naar de straat die nu leeg was, op een paar geparkeerde auto's na. Toen werd ik boos.

'Waar sloeg dat op?' Ik gaf de jongen een duw tegen z'n borst. Hij vloog een paar passen achteruit. Zo dicht bij seks was ik nog niet geweest! En hij had het verpest! Waar bemoeide hij zich mee?

'Ik ben zakenman,' zei hij. 'Ik heb een voorstel.'

Ik gaf hem nog een duw. Hij viel achterover op het trottoir. Ik vocht niet met onbekenden, dat zei ik al, maar een paar duwtjes had hij wel verdiend. Ik wachtte tot hij overeind kwam, zodat ik hem opnieuw tegen de stoep kon werken.

Hij bleef zitten, de slimmerik.

'Ben je me gevolgd?' vroeg ik.

'Wat denk je zelf?' zei hij. 'Ik heb een voorstel, zoals ik net al zei. Luister je wel?'

Ik kon kiezen: of ik sloeg hem in elkaar of ik liep nu weg. Ik koos voor het laatste. Ik was over het algemeen blij dat ik niet meer vocht met onbekenden en deze superirritante bemoeial was het niet waard dat ik er weer mee begon.

Hij liep aan de overkant van de straat met me mee.

'Je wilt toch een baby?' riep hij.

Dat maakte me weer razend – mijn geheim over straat schreeuwen, wat dacht-ie wel? Ik rende de weg over. De jongen stond klaar om te vechten, maar heel onbeholpen. Hij hield z'n vuisten veel te ver voor zich. Zo kon hij natuurlijk nooit een klap uitdelen. Als hij een betere vechthouding had gehad had ik hem voor z'n bek geslagen, zeker weten. Maar dit was te oneerlijk. Hij liet z'n vuisten zakken.

'Luister nou gewoon even naar mijn voorstel,' zei hij. 'Dan ben je van me af.'

We zaten tegenover elkaar aan een tafeltje bij de Big Bad Burgerbar. Een ventilator zoefde. We waren de enige gasten. De jongen had een groene salade voor mij gehaald en een Big Bad Shake voor zichzelf.

'Kijk,' zei hij. 'Jij wilt een baby. Ik heb iemand die jou die baby wil bezorgen. Voor drieëndertig euro vijfennegentig.'

Dat hij mijn geld wilde, geloofde ik meteen. Dat hij iemand kende die mij een baby zou bezorgen niet.

'Waarom zou ik betalen voor seks wanneer ik het ook gratis kan krijgen?'

'Omdat je een probleem hebt,' zei hij.

'Heb ik niet.'

'Heb je wel.'

'Heb ik niet.'

'Heb je wel, zal ik het even uitleggen? Let je op? Je kunt veilig vrijen of onveilig. Als je veilig vrijt, krijg je geen baby. Als je on-

43

veilig vrijt, krijg je misschien een ziekte. Van sommige ziektes kun je geen baby's meer krijgen. Dát is jouw probleem.'

'En hoe los jij dat dan op?'

'Mijn man is gegarandeerd soavrij. Want net getest op alle denkbare ziektes.'

Hij kon goed kletsen, maar ik vertrouwde hem voor geen cent.

'Net zei je nog dat…' Het woord 'baby' wilde ik niet gebruiken. Het bleef mijn geheim dat ik een kindje wilde, ook al wist hij ervan. 'Dat ik moest wachten tot na mijn vijfentwintigste. En nu wil je me ineens helpen?'

'Ik ben een zakenman. Als jij dom wilt doen, wil ik daar best aan verdienen.'

'En wat is het voor iemand?'

'Dat is nog het mooiste,' zei hij. 'Voor jou. Hij is een soort machine.'

Ik vond het hoe langer hoe idioter klinken.

'Wat ik bedoel is: je kunt hem instellen. Je kunt zeggen hoe je het wilt. En dan krijg je het zo. Ideaal. Zoals een wasprogramma bij een wasmachine. Maar dan anders.'

Dit vond ik goed klinken. Ik wist al welk seksprogramma ik zou kiezen: 'kort' en 'baby tot gevolg hebbend'.

Ik prikte met een plastic vorkje in mijn salade en at een hapje ijsbergsla. Ik vertrouwde hem nog altijd maar half, maar dat was meer uit gewoonte. Waarom zou ik het niet proberen? Hoefde ik in ieder geval niet weer zelf een man op te sporen. Dat had ik wel gezien voor vandaag. Wat had ik te verliezen? Drieëndertig euro vijfennegentig, meer niet.

'Oké. Voor tien euro.'

Hij schudde zijn hoofd.

'Drieëndertig euro vijfennegentig. De eerste helft vooruit. De tweede helft als je zwanger bent.'

Hij slurpte met zijn rietje zijn shake leeg. De ventilator zoefde.

'Wanneer kan hij?'

'Morgen moet lukken.'

Ik stak mijn hand uit. Hij nam hem aan.

'Olivier,' zei hij.

Ik had me niet willen voorstellen, ik had alleen onze afspraak willen bezegelen. Ik drukte zijn hand zo hard dat het net geen pijn deed.

'Tiffany Dop,' zei ik. 'Als je me iets flikt, heb je een probleem.'

Op weg naar huis zag ik stomtoevallig Danny en Bruce. Ze zaten met hun rug tegen de zijkant van een andere flat dan de onze. Ik was nooit te beroerd om ze ergens op te betrappen, dus ik liep naar ze toe. Ze zaten een sigaret te roken.

'Je houdt je bek,' zei Bruce.

Even dacht ik dat hij op de sigaretten doelde, maar toen zag ik de bokshandschoenen. Ze lagen op de tegels tussen hen in. Gloednieuwe, zo te zien, een blauw paar en een rood paar. En mijn broers droegen bijpassende sportbroekjes en sportschoenen. Bruce was in het rood en Danny in het blauw. Ook zag ik nog twee springtouwen, maar die zaten nog in de verpakking. Ze hadden geld! In elk geval hadden ze het gehad.

'Waarover hou ik mijn bek?' vroeg ik, hoewel ik hem best begrepen had.

Danny wilde uitleggen dat ik m'n bek moest houden over hun prachtige nieuwe boksspullen, maar Bruce gaf hem een duw, waardoor Danny opzij flikkerde. Danny gaf hem een stomp terug. Ik had geen zin om te wachten tot ze klaar waren met hun geruzie, dus ik liep door.

'Je bent gewaarschuwd!' riep Bruce me na. 'En zeg tegen de Kloet'nstamper dat we buiten de deur eten!'

45

Met de Kloet'nstamper bedoelde hij Sheila.

Dit was weer zoiets: waren ze dapper of dom? Als ze niet meeaten snapte Sheila meteen dat ze geld hadden. Het volgende moment kwam ze aanzetten met rekeningen voor kost en inwoning. Of ze pakte het geld af zonder dat ze de moeite nam om er een verhaal bij te verzinnen. Hoe dan ook waren ze het kwijt.

De rest van de weg naar de flat vroeg ik me af hoe Danny en Bruce aan het geld waren gekomen.

Het kon natuurlijk dat ze geen geld hadden, maar dat ze de spullen hadden gestolen. Maar dat was onwaarschijnlijk. Schoenen en handschoenen en broekjes en springtouwen? Dat kregen ze nooit de winkel uit. Ze jatten genoeg, maar alleen spullen die elke gek kon jatten. Zoals de dranghekken die waren blijven staan na een of andere hardloopwedstrijd. Danny en Bruce sleepten ze de berging binnen. Ze zouden binnenlopen! Ze werden rijk! Niet dus. Niemand wou die dingen hebben en nu parkeerde Sheila haar fiets al een jaar buiten omdat er in de berging geen plaats was.

Ze hadden de boksspullen gekocht. Kon niet anders. Maar hoe kwamen ze aan dat geld? Er zou toch niemand beschermings-geld betaald hebben? Alleen een paar kleuters uit de buurt waren bang voor ze en die hadden geen geld. Eén ding was zeker. Ze waren er niet op een eerlijke manier aan gekomen. Waarschijn-lijk op een oneerlijke manier die ook nog dom was. Dus het kon niet anders of ze kregen er nog last mee.

Om een uur of één hoorde ik ze thuiskomen. Ik lag wakker in bed – probeer jij maar eens op te houden met denken, wanneer je de volgende dag een afspraak hebt met een seksmachine. Shei-la had zich de hele avond niet laten zien, dus ze had de jongens niet gemist met eten. En er waren ook geen agenten of boze ou-ders aan de deur geweest. Die kwamen dan zeker morgen.

9

De volgende ochtend stond ik op de brug over het kanaal. Langs het water stonden hoge struiken. Daar konden een soavrije seksmachine en een meisje doen wat ze wilden. Zou de man echt doen wat ik van hem vroeg? Of waren dat verkooppraatjes geweest? Olivier wilde natuurlijk ook gewoon zijn geld verdienen. Ik had hoe dan ook geen zin. Maar dat deed er niet toe. Het moest.

Een oude man met een kapiteinspet op tufte voorbij in een badkuip. Hij zwaaide naar me. Ik deed gezellig en zwaaide terug.

Als mijn baby er was, zouden we hier kunnen komen met een kinderwagen. Daar zat dan een parasolletje aan – dat had ik bij de Hoornse Plas gezien. Dat draaide ik dan zo dat mijn kindje in de schaduw zat. En als we samen op het picknickkleed gingen zitten deed ik hem een zonnehoedje op.

Er kwam iemand aanfietsen over de landweg. Het was Olivier – alleen. Dat was niet de afspraak! Betekende dit dat de man niet kwam?

Olivier stopte vlak voor me, voeten op de grond, fiets tussen zijn benen.

'Waar is-ie?' vroeg ik.

'Ik ben zakenman,' zei hij. 'Dat weet je. Ik heb een voorstel…'

'Wat nou, voorstel?' riep ik. 'Niks voorstel! We hebben een afspraak!'

Hij duwde zijn bril omhoog met zijn wijsvinger.

'Zullen we het zakelijk houden?'

Ik liep over de brug helemaal naar de overkant en weer terug. Slaan kon altijd nog. Eerst wilde ik horen wat hij te zeggen had. Toen ik hem weer in het gezicht keek, was ik rustig.

'Jouw afspraak gaat gewoon door,' zei hij. 'Alleen niet vandaag.'

'Waarom niet?'

'Hij was verhinderd, maar luister. Morgen krijg je je seks. En ik heb geregeld dat je vandaag kunt oppassen op mijn nichtje, Roos, zo groot...' Hij gaf met zijn handen aan hoe groot. Ze was zo lang als een stokbrood. 'Maand of acht? Negen? Is dat een superdeal of niet?'

Ik aarzelde. Dit was niet de afspraak. Maar eigenlijk was ik blij met het uitstel. En misschien zou het oppassen net zo heerlijk zijn als de vorige keer.

'Mooi,' zei hij. 'Jij doet het oppaswerk. We delen het geld. Oké?'

Aha. Geld.

'Ben je lopend? Spring maar achterop.'

Ik sprong achterop. Had de seksmachine echt niet gekund? Of had Olivier de afspraak verschoven, zodat hij eerst nog wat oppasgeld in zijn zak kon steken?

In een smal straatje in het oude centrum zette Olivier z'n fiets op slot. Hij belde aan bij een deur vol graffiti. Ik liep achter hem aan een houten trap op. De trap was smal en op elke tree stond iets: een leeg krat, een boodschappentas met flessen, een stapel oude kranten, een rood emmertje met een schepje erin.

In de deuropening boven aan de trap stond een vrouw met een kindje op haar arm. De vrouw stak haar hand uit naar Oliviers haar, maar hij dook weg en verdween naar binnen. Nu kon ik het kindje beter zien. Ze had bruine krulletjes en een lief gezichtje. Eén handje had ze verstopt in de hals van haar moeders blouse. Ze hadden samen iets – iets samens. Het straalde van ze af.

Toen ik boven was stak de vrouw haar hand naar me uit.

'Ik ben Odette en dit is Roosmarijn.'

'Tiffany Dop,' zei ik. Meteen had ik spijt. Zou mijn naam me niet verraden? Dit was geen plek voor Tiffany Dop, bats veur de kop. Niemand had graag een oppas waar je voor op moest passen. Als ze nou maar niet van mij gehoord had! Alsjeblieft!

Ik liep voor Odette uit naar de woonkamer. De plankenvloer stond al net zo vol als de trap. In de gauwigheid zag ik stapels kleren, stapels papier en ook een stapel pannen. Olivier zat gehurkt bij een stapel boeken. Ik werd weer wat kalmer. Natuurlijk had Odette niet van mij gehoord. Ze was te groot om op straat rond te hangen. En ze kwam vast niet uit onze buurt.

'Olivier vertelde dat je ervaring hebt,' zei Odette, Roos op haar arm. 'Klopt dat?'

Ik trok een geruststellend gezicht en knikte. Met liegen had ik inderdaad ruime ervaring.

'Maar elke leeftijd is toch weer anders.' Ik probeerde net zo beschaafd te klinken als Olivier. 'Misschien is het goed dat u de dagindeling van Roosmarijn opschrijft: drinken, slapen, alles. En ook waar ze van houdt. Dan kan ik goed voor haar zorgen.' Dat voelde als de meest doorzichtige leugen die ik ooit verteld had. Ik? Goed voor iemand zorgen? Belachelijk! Zag ze dan niet dat ik hier niet thuishoorde? Als ze ook maar een beetje verstand had, schopte ze me eruit.

Odette gaf me Roosmarijn aan. 'Zeg alsjeblieft je. Ik ben niet zo'n u. Ik pak iets om te schrijven.'

Roosmarijn was lichter dan het kindje van eergisteren. Ik had haar nog niet op mijn arm of ze begon te draaien. Hield ik haar niet goed vast? Wou ze op de grond gezet worden?

'Wil je haar misschien even verschonen?' zei Odette, die op tafel zocht, naar een pen denk ik, want papieren lagen er genoeg. 'Dan maak ik intussen een overzichtje. Het aankleedkussen is in de achterkamer.'

Verschonen? Was dat niet iets met luiers? Dat had ik van mijn leven nog niet gedaan.

Ik liep door open schuifdeuren naar de achterkamer, met Roosmarijn in mijn armen. Ze draaide nog altijd vreselijk – zij had me door. Ze zou toch niet gaan huilen? Tegen de achtermuur stond een kinderbedje. Ernaast een kastje met een soort kussen dat omhoogliep aan de randen – vast het aankleedkussen. Voorzichtig legde ik het meisje erop. Meteen was ze stil. Zeker blij dat ze uit mijn armen was. En nu? Ik moest het nu niet verpesten. Ik trok voorzichtig Roosmarijns broekje naar beneden. Eronder droeg ze een hempje en broekje ineen. Het zat met drukknoopjes vast. Ik maakte ze los en schoof het broekpakje omhoog. Daar was haar luier. Hoe kreeg ik die los? Ik rook poep. Als Odette nu binnenkwam, kon ik het schudden. Dan wist ze dat ik gelogen had.

Ik hoorde haar aankomen. Ik begon op goed geluk aan de luier te trekken.

'Hmm...'

Het was Olivier.

'Hoorde ik iets over ervaring?'

Hij duwde me aan de kant. Hij maakte links en rechts een plakstrip los. Met zijn linkerhand tilde hij Roosmarijns billetjes iets omhoog. Met zijn rechterhand legde hij de vieze luier weg, pakte een doekje uit een doos, veegde haar billen af, legde het doekje in de luier, vouwde de luier dicht, pakte uit een pak een schone luier, schoof hem open onder Roos en liet haar zakken. Hij vouwde de luier om haar heen, maakte de plakstrip vast, trok de luier nog iets beter op zijn plek, en klaar was hij. Alles bij elkaar in minder dan tien seconden.

'Niks te danken hoor,' zei hij. Terwijl ik hem niet bedankt had.

'Als Odette je meteen op straat zet, verdien ik ook niks.'

Ik kleedde Roos weer aan. Ik was bang dat ze weer zou gaan draaien als ik haar optilde. Maar ze bleef rustig op mijn arm zitten. En toen ik aan tafel in de voorkamer Roosmarijns dag doornam, zat ze stil op mijn schoot. Ik geloof dat Odette me waarschuwde voor allerlei gevaren, maar ik vond het moeilijk om goed te luisteren met zo'n schat op mijn arm. Ze schreef een mobiel nummer op, waarschijnlijk het hare, en drukte me op het hart te bellen als er iets was.

'Let je echt goed op?' zei ze. 'Roos kruipt overal heen. En ze weet niet wat gevaarlijk is.'

'Dat spreekt voor zich,' zei ik.

Odette zocht spullen bij elkaar. Ze wilde gaan studeren in een bibliotheek. En ze vertrok. Ik kon het nauwelijks geloven, maar ze vertrok. Echt.

Roosmarijn en ik zwaaiden haar uit bij het raam in de voorkamer. Dat wil zeggen: ik zwaaide. Roos trok een plant omver; hoe die heette weet ik niet, maar het leek een kleine palmboom. Ik keek hoe Odette over de keien het straatje uit fietste. Om vijf uur zou ze terugkomen. Ik was niet ontmaskerd! Ruim zesenhalf uur van oppassen lag voor me. Ruim zesenhalf uur met een lief klein meisje!

Alles was perfect.

Op één kleinigheid na.

'Colaatje?' vroeg Olivier. Hij kwam de kamer binnen met een fles in de hand.

'Ga jij niet weg?' vroeg ik.

'Nee. Maar wees maar niet bang hoor. Jij mag het werk doen.'

Hij nam de cola mee naar een luie stoel bij het raam en ging zitten lezen, de fles onder handbereik in de vensterbank.

Mij best. Ik had Roos op mijn arm. Waar zou ik me druk om maken?

Ik zette de palmboom weer overeind en ging veger en blik zoeken om de aarde op te vegen.

10

Het werd een vreemde dag. Ook een heerlijke dag. Maar toch
vooral: heel erg vreemd.
Terwijl ik veger en blik opborg in het keukenkastje waar ik ze
gevonden had, hoorde ik een plof. Ik ging kijken. Roosmarijn
had de plant opnieuw omgetrokken. Ze zat er tevreden naast en
smeerde de aarde over de vloer. Je kent me intussen. Ik word snel
boos. Maar niet op Roos. Ik zou nooit boos kunnen worden op
een kindje. Ik ging naast haar zitten en maakte van de aarde een
tekening voor haar.
'Kijk, een huisje,' zei ik. 'Met een dak en een deur. En een weg-
getje ernaartoe.'
Ze keek me ernstig aan, maar ik weet niet of ze me begreep.
Om de aarde rustig te kunnen opruimen zette ik Roos even in
de box die in een hoek van de kamer stond, maar ik had haar
nog niet losgelaten of ze begon te huilen. Hard te huilen. Ik tilde
haar uit de box. Ik probeerde de aarde op te vegen met Roos op
mijn arm, maar dat ging niet, want ik had één hand nodig voor
het blik, één voor de veger en één voor Roos, dus ik kwam een
hand tekort.
Olivier zag me stuntelen, maar las weer verder en zei niks. Wat
verstandig van hem was.
Uiteindelijk deden we het zo: Roos hield het blik vast. Ik veegde
de aarde erop. Dat schoot ook niet op, want soms kiepte Roos

het blik om, maar het was wel reuze gezellig. En op een gegeven moment was de vloer toch weer schoon.

Ik zal je niet alles vertellen wat we deden, ik kan me voorstellen dat je dan in slaap valt. Een week geleden interesseerde ik me ook nog absoluut niet voor kindjes. Maar dit moet je nog horen. Roos en ik bouwden torentjes van gekleurde houten blokjes. Om de beurt een blokje. Als je denkt dat dat makkelijk is: vergeet het maar. Niet als je nog geen één bent. Het pakken had ze goed onder de knie. Maar haar blokje precies op mijn blokje zetten, zodat hij er niet meteen afkukelde, vond ze lastiger. Soms zette ze haar blokje keurig op het mijne, maar was ze zo druk met de precieze plek, denk ik, dat ze vergat het blokje los te laten. Dus dan nam haar handje het weer mee terug. Dan zag je haar even puzzelen: waarom ligt mijn blokje niet op de toren? Waar is-ie? Hee! In mijn hand! Maar als alles lukte was ze trots. En wanneer na drie of vier blokjes de hele toren omviel gilde ze het uit van plezier. We bouwden plusminus negenhonderdnegenenengentig torens.

Ik maakte een flesje warme melk voor Roos. Niet uit een pak, maar van poedermelk uit een bus. Niet makkelijk, hoor! Ik moest water eerst koken en dan laten afkoelen – dat stond op de bus. Ik las de aanwijzingen twintig keer. Uiteindelijk dronk ze het flesje terwijl ze bij mij op schoot zat. Ze hield het zelf vast, maar ik moest de onderkant wel iets hoger tillen, anders kwam de melk niet bij de speen. Olivier leerde me hoe ik haar een boertje kon laten doen door Roos op de arm te nemen, en zachtjes op haar rug te kloppen.

Toen zei het dagschema dat Roos moest slapen. Ik legde haar niet in haar ledikantje, maar op het grote bed in de achterkamer. Aan een kant legde ik een kussen, zodat ze niet van het bed kon rollen. Zelf ging ik aan de andere kant liggen. Toen ze sliep, legde ik een hand op haar als een dekentje.

Ik was gelukkig. Maar ook van slag. De hele tijd met Roos dacht ik in mijn achterhoofd: hier klopt iets niet. Wat zit je nou te tutten? Kun je nou weer even gewoon doen?

Haar borstkastje ging op en neer. Ik voelde haar ademhaling.

Toen ineens, poef, alsof de Blauwe Fee met haar stokje had gezwaaid, snapte ik alles. Ik wist precies waarom ik een kindje wou. Niet omdat baby's zo superschattig zijn. Goed, dat ook, maar dat was het niet alleen. Ik wou ook een kindje omdat een kindje mij veranderde. Ik wilde zijn zoals ik was met een kindje. Lief, zorgzaam en geduldig. Het ging om mij.

Ik aaide met een wijsvinger over Roos haar wangetje – voorzichtig om haar niet te wekken.

Om vijf uur precies kwam Odette binnen. Ik vertelde haar alles wat we gedaan hadden: over de blokkentorens en over het flesje… Ik kon niet ophouden met praten. Daarstraks was ik een bedriegster geweest die moest liegen om Odette de deur uit te krijgen. Nu was ik een goede oppas. Ik was enorm trots op mezelf.

'En ik zou nog best wat langer op kunnen passen,' zei ik, toen ik echt alles had verteld. 'Dan kun je uit eten of naar de film of allebei.'

Odette keek naar Olivier die nog altijd in zijn luie stoel bij het raam zat.

'Mij best,' zei hij.

Odette belde een vriendin. Olivier belde naar huis om te zeggen dat hij later kwam. Man, was ik blij!

Olivier hield mij de telefoon voor.

'Jij wilt vast ook even naar huis bellen?'

Gevaar!

Ik wilde helemaal niet naar huis bellen. Niemand thuis mocht weten dat ik hier oppaste. Daar kon alleen ellende van komen. Maar Odette moest blijven geloven dat ik een goede oppas was. En goede oppassen hadden vaak lieve moeders die zich zorgen maakten als hun dochter 's avonds niet thuiskwam. Dus ik nam de telefoon aan en toetste ons nummer in. Ik drukte alleen niet op het groene telefoontje, maar ernaast, en deed of ik een antwoordapparaat insprak.

'Mam, met mij. Ik blijf wat langer oppassen. Misschien blijf ik wel slapen. Dus maak je geen zorgen! Kus!'

11

Roos zat in een kinderstoel. Ik voerde haar een potje wortelprut. Olivier dekte intussen de tafel. Hij wou zeker dat we samen aan tafel aten, zoals mensen in films. Hij sloofde zich echt uit. Eerst maakte hij van alle papieren die op tafel rondslingerden een nette stapel. Toen zette hij twee borden neer. Naast elk bord legde hij een mes en een vork, het mes rechts en de vork links. Nog een lepeltje boven het bord en een servetje op het bord. Werkte hij hier soms in de bediening?

'Als Roos het op heeft, zet haar dan maar even in haar wipstoeltje,' zei hij. 'Vindt ze niet erg.' Hij liep de kamer uit en riep vanuit de keuken: 'Wil je de pizza salami of de pizza salami?'

Het potje was nog niet helemaal leeg, maar Roos deed haar mond niet meer open voor het lepeltje, dus ik nam aan dat ze genoeg had. Ik veegde haar mondje af met haar slabbetje, tilde haar uit de kinderstoel en zette haar in wat ik aannam dat het wipstoeltje was: een laag stoeltje op een metalen frame. Ik gespte de riem vast. Roos leek het inderdaad leuk te vinden. Ze schudde met haar hele lichaam. Toen ze ophield schudde het stoeltje nog even na. Een wipstoeltje.

Olivier wilde praten. De eerste hap van mijn pizza was juist onderweg naar mijn mond, of hij begon al.

'Heb je het naar je zin vandaag?'

Ik knikte.

'Je denkt niet, man o man, wat een werk zo'n baby, ik kan beter tien jaar wachten tot ik getrouwd ben en mijn man de helft van het werk doet?'

'Nee!'

'Dus ik hoef je seksdate niet af te zeggen?'

Ik had de eerst hap alsnog in mijn mond gestopt en kon dus even niks zeggen. Daarom keek ik hem alleen zo dreigend aan als ik kon.

'Oké, oké! Ik vraag het alleen maar. Waarom wil je eigenlijk een kindje?'

Ik denk dat ik ongewild begon te stralen. Ik wilde een kindje omdat ik een nieuwe Tiffany Dop ging worden! Lief, zorgzaam en geduldig!

'Geen idee,' zei ik.

Hij was een paar happen stil en zei toen: 'Ik wil het echt graag weten.'

'Maar ik wil het niet zeggen.'

'Waarom niet?'

Omdat ik niet van praten hield. Omdat het hem geen bal aanging. En omdat ik hem niet vertrouwde. Hij had me dan wel geholpen met de luier. En hij had me dan wel de hele dag uitstekend met rust gelaten. Maar hij had ook gelogen. Ik geloofde niet dat de seksmachine vandaag verhinderd was geweest.

'Waarom wel?' zei ik. 'We hebben een afspraak. Jij krijgt geld en ik krijg een seksdate. Over praten is niks afgesproken.'

Hij drong nog een tijdje aan, maar ik luisterde niet meer. Ik keek naar Roos die nog steeds met haar wipstoeltje speelde.

Na het eten gingen we weer ieder onze eigen gang. Olivier deed de afwas en keek iets op tv. Ik gaf Roos nog een kwart flesje. Toen verschoonde ik haar, helemaal zelf, trok haar een dun slaapzakje aan, en legde haar in het grote bed, net zoals die middag, met een kussen naast haar tegen het uit bed vallen.

Ik keek hoe ze in slaap viel.

Pas de volgende ochtend werd ik wakker. Odette en Roosmarijn zaten aan het ontbijt, Roos in de kinderstoel. Toen ik de kamer in kwam begon ze met haar armpjes te zwaaien en riep: 'Uh! Uh!' Olivier zag ik nergens. Niet zo mooi, want ik had hem nodig voor de details van mijn seksdate.

'We hebben je gisteravond maar laten slapen,' zei Odette. 'Dat vind je toch niet erg, hoop ik? Mooi, ga zitten. Eet iets.'

Ik ging aan de andere kant van Roos zitten. Honger had ik niet.

'Weet je hoe ik Olivier kan bereiken?'

Odette schoof een papiertje naar me toe dat blijkbaar al voor me klaarlag.

'Zijn nul zes. Wil je nog eens komen oppassen?'

Ik knikte zo hard ik kon.

'Dan schrijf ik je nummer even op. Wacht.' Ze stond op om pen en papier te halen.

Ik dacht snel na: ik kon haar onmogelijk ons telefoonnummer geven. Stel je voor dat ze Sheila aan de lijn zou krijgen. Sheila zou alles verpesten; als het niet expres was, dan wel per ongeluk.

Daar was Odette weer met een opschrijfboekje en een pen. 'Zeg het maar.'

'Ik wilde eigenlijk net een nieuw mobieltje kopen,' zei ik. 'Als ik het heb, gooi ik het nummer wel even door de bus. Goed?'

Odette gaf me geld.

'Achttien euro, de helft van het oppasgeld,' zei ze. 'En vergeet niet Olivier te bellen. Het was belangrijk.'

Toen het tijd was om afscheid te nemen, tilde ik Roos uit haar stoeltje. Ik drukte haar tegen me aan, gaf haar een kus op haar ene wang, een kus op haar andere wang en een kus op haar haren. Toen gaf ik haar uit eigen beweging aan Odette. Een gewone lieve oppas ging niet huilen of enorm treuzelen.

Ik belde Olivier bij een munttelefoon. Niet veel later zat ik op een houten bankje aan het Hoge der A, een oude gracht, en kwam hij aanwandelen, keurig als altijd: net poloshirt, nette korte broek.
'Hoe laat is mijn date?' vroeg ik, toen hij naast me zat. 'En waar?'
'Daar wou ik het net over hebben,' zei Olivier. 'Als jij het wilt, gaat het door.'
'Hoezo, als ik het wil? Je weet dat ik het wil!'
'Wanneer was jij voor het laatst ongesteld?'
'Wat gaat jou dat aan?'
Hij zuchtte overdreven. 'Dit is zakelijk. Zeg nou maar.'
In gedachten telde ik de dagen. 'Ik ben een week geleden ongesteld geworden.'
'Dan ben je vandaag niet vruchtbaar.'
Het drong niet meteen tot me door wat hij precies bedoelde.
'Het betekent dat je vandaag zoveel seks kunt hebben als je wilt, maar dat je er zo goed als zeker niet zwanger van zult worden.'
Olivier haalde opgevouwen printjes uit zijn achterzak en gaf ze aan mij. Ik las ze vluchtig en bekeek de handige grafiekjes. Vandaag zat ik net in het oranje gedeelte van mijn cyclus. Pas over ongeveer een week zat ik in het groene deel. Dan pas had ik een goede kans om zwanger te worden.
'Waarom vertel je me dit nú pas?'
'Word je weer boos?'
Ik had inderdaad zin om hem een klap te geven, of hij die nou verdiend had of niet.

'Gelijk heb je,' zei hij. 'Het is mijn schuld dat je vorige week ongesteld werd! Het spijt me ontzettend hoor, ik zal het niet weer doen.'

Ik hield me in.

'Luister,' zei hij. 'Ik heb een beetje genoeg van dat boze gedoe van jou. Ik was zo *aardig* om gisteravond wat te surfen, om jou te *helpen*. Geef mij niet de schuld wanneer de uitslag je niet bevalt. Maar oké! Zeg maar wat je wilt. Wil je de afspraak door laten gaan?'

Ineens wist ik het zeker. Er was geen soavrije seksmachine. Er was geen afspraak. Olivier wilde voorkomen dat ik zwanger werd – God weet waarom. Omdat hij een irritante bemoeial was waarschijnlijk. Hij verzon steeds iets nieuws om te zorgen dat ik geen baby kreeg.

'Bel hem maar af,' zei ik.

'Zal ik doen.'

'Nu!'

Olivier haalde zijn mobiel tevoorschijn en toetste een nummer in.

'Met Olivier... Over onze afspraak van vandaag...'

Hij deed alsof, net zoals ik gedaan had toen ik zogenaamd mijn moeder belde. Ik wist het zeker. Er was niemand aan de andere kant van de lijn. Ik pakte het mobieltje uit zijn hand.

'Spreek ik met de soavrije seksmachine?'

'Eh...' klonk het uit de mobiel. 'Ik denk van wel.'

Dat was nogal een schok voor me. Hij bestond toch. Er was echt iemand die een seksdate met me had!

'Spreek ik met Tiffany?'

Ik wist niet wat ik moest zeggen. Ik gaf het mobieltje gauw aan Olivier.

'Met mij weer!' zei hij. 'Nee... alles goed. Misverstandje. We

moeten onze afspraak verzetten. Naar wanneer hoor je nog, oké?'
Hij verbrak de verbinding en keek me in de ogen. Ik keek strak
terug. Normaal kijken mensen dan weg, ik weet niet waarom.
Dat effect heb ik nou eenmaal. Maar hij bleef me recht in de
ogen kijken.
'Dacht je dat ik je iets flikte?'
'Dat zou je niet durven,' zei ik.

12

Even later zat ik in de bieb achter de computer. Ik googelde op vruchtbaarheid. Olivier had gelijk gehad. Vandaag, de zevende dag nadat ik ongesteld was geworden, had ik 0,7 procent kans om zwanger te worden. Dat was bijna nul! Op de dertiende dag was de kans het hoogst: 17,3 procent. Maar daar moest ik dus nog zes dagen op wachten.

Zes dagen! En daarna nog die negen maanden! En die 17,3% viel me ook tegen. Dat betekende 82,7% kans om niet zwanger te worden. En als ik inderdaad niet zwanger werd kwam er meteen weer een maand bij. Ik keek of je je vruchtbaarheid kon versnellen, maar daar kon ik niks over vinden.

Ik haalde geld uit m'n bergplaats en kocht een mobieltje, voor het geval Odette me zou willen vragen om op te passen. Ik liet hem in de winkel opladen en belde Olivier zodra ik buiten stond. Hij beloofde de seksdate voor me te verzetten naar over zes dagen.

'Bel je me als je je bedenkt?' vroeg hij.

'Ik bedenk me niet!'

'Oké oké. Iets anders: ik hoorde laatst een ringtone met babygehuil, die wil ik wel voor je downloaden...'

Ik hing op.

Na een paar seconden ging m'n telefoon. Het kon alleen Olivier zijn. Ik bleef naar het mobieltje kijken tot-ie stil werd.

Ik ging langs Odette. Zogenaamd om mijn mobiele nummer te brengen, maar in werkelijkheid omdat ik heel heel heel graag

Roosmarijn vast wilde houden. Odette was niet thuis. In ieder geval deed ze niet open. Toen ging ik maar naar het bankje waarop ik had gezeten met het meisje met het roze jasje. Misschien kwam ze daar vaker.

Ik zat en wachtte en mijn shirt plakte aan mijn lijf en duizenden mensen liepen langs het bankje, maar niet de moeder die naar vuilstortkoker rook. Was ik tot voor kort echt tevreden geweest met mijn leven? Hoe was dat mogelijk? Ik hield het geen dag meer uit zonder kindje, laat staan negen maanden en zes dagen. Stel je niet aan, zei ik tegen mezelf. Mietje! Huilebalk! Normaal hielp dat. Nu niet. Ik wilde zo graag een baby dat ik er buikpijn van kreeg.

Sheila en ik zaten elk op een bank, elk met een groot bord salade op schoot – we aten soms best gezond. Danny kwam binnen. Met zijn linkerhand hield hij zijn rechterhand vast.

'Mijn arm is gebroken. Of zo.' Hij probeerde stoer te klinken, maar zijn stem ging vreemd omhoog.

'Goa vot,' zei Sheila.

In dit geval betekende het: zie je niet dat ik aan het eten ben, man? Maar ze zette wel haar bord weg en bekeek zijn pols. Die was duidelijk niet in orde. Zijn hand stond vreemd scheef op zijn arm.

'Wat heb je uitgespookt?' vroeg Sheila.

'Klap gehad.'

'Waarmee dan wel?'

'Zo'n ding.'

De volgende vraag was natuurlijk: wat had Danny gedaan, dat iemand hem een klap verkocht met zo'n ding? Sheila wilde het niet weten. In ieder geval vroeg ze er niet naar. Zijn gebroken arm had haar duidelijk een pesthumeur bezorgd.

'Als jij je arm wilt laten breken, prima,' zei ze. 'Maar ik ga geen rekeningen betalen. Dus je gaat maar naar het ziekenhuis, maar je geeft je naam en adres niet. Begrepen? Wat ze ook zeggen!'

Ze nam haar bord weer op schoot en ging verder met haar salade van appel, selderijstengel, rozijnen en walnoot.

Danny leek naar woorden te zoeken, maar ze waren goed verstopt.

'Ga je mee?' vroeg hij, na een tijdje. Hij had het tegen Sheila.

'Flikker op, man!'

Danny hield zijn rechterhand nog steeds in zijn linker. Hij maakte een hulpeloze indruk, zonder Bruce. Hij zou onderweg verdwalen, of opnieuw een klap krijgen met zo'n ding, wat dat ook was, hij zou iets jatten en betrapt worden. Maar hij zou het ziekenhuis niet bereiken. Niet in z'n eentje..

'Zal ik mee?' vroeg ik.

Danny en Sheila keken me argwanend aan.

'Hoezo?' vroeg Sheila.

Het was iets wat de nieuwe Tiffany Dop zou doen. Ik had weliswaar nog lang geen kindje. Maar misschien kon ik nu vast mijn nieuwe zelf worden. Dat gaf me meteen iets te doen.

'Ja, hoezo?' vroeg Danny.

'Ik dacht dat je dat fijn zou vinden,' zei ik.

Dat antwoord riep alleen maar meer vragen op, want sinds wanneer waren we aardig voor elkaar? Ik zag ze denken: waarom wil ze mee? Wat schiet ze daarmee op? Wat voert ze in haar schild?

'Je doet maar,' zei Danny.

We zaten naast elkaar, achter in lijn 5. Danny was al twaalf jaar mijn broer, maar dit was ongetwijfeld de eerste keer dat ik naast hem zat in een bus. We gingen bijna nooit met de bus, want dat kostte geld, en als we gingen zat hij naast Bruce.

'Doet het pijn?' vroeg ik.

Danny haalde zijn schouders op en schoof heen en weer op zijn stoel. Hij leek niet op zijn gemak. Misschien was hij bang voor het ziekenhuis. Misschien moest hij wennen aan de nieuwe Tiffany Dop. Misschien had hij liever dat ik een klap op zijn zere pols gaf, dan wist hij weer wat hij aan me had. Misschien dacht hij dat ik hem op een of andere manier toch aan het pesten was. Zelf sloot ik dat niet uit. Ook voor mij was het moeilijk te geloven dat ik aardig tegen hem deed.

'Heb je een sigaret?' vroeg Danny.

Ik schudde mijn hoofd.

'Ik wil een sigaret!' zei hij luid. 'Waarom verkopen ze goddomme geen sigaretten in de bus? Chauffeur!' Hij schreeuwde nu. 'Een pakje Marlboro!'

Zo kende ik hem weer.

In het ziekenhuis liepen we naar de Eerste Hulp. Onder een bord met *hier melden* zat een mevrouw achter een balie. We lieten haar Danny's zielige handje zien. Ze vroeg meteen naar zijn verzekeringsgegevens.

'Die zijn we helaas vergeten,' zei ik. 'Maar stuurt u de rekening maar naar onze moeder, mevrouw S. Dop. Dan komt het wel goed.' Ik gaf haar Danny's naam en geboortedatum en ons adres. De mevrouw herhaalde Sheila's gegevens.

'Weet u…' Danny boog zich naar haar toe. 'Haar goudvis is een hoer.'

Dat vonden wij allebei nogal grappig. Danny en ik, bedoel ik. De baliemevrouw lachte niet.

Twee uur later liepen Danny en ik door de brede draaideur naar buiten, de warmte in. Danny had gips om zijn pols en zijn arm in een mitella. Hij had een `nette breuk'. Over een week moest hij terugkomen en met een beetje geluk was zijn pols over een maandje weer beter.

Buiten haalde ik een pakje sigaretten en een aansteker uit mijn zak en hield ze Danny voor. Terwijl hij op zijn beurt wachtte, had ik ze gekocht in een winkeltje in de buurt, van het wisselgeld dat ik had gekregen toen ik m'n mobieltje kocht.

Hij keek me wantrouwig aan. Toen griste hij ze uit mijn handen, bang dat ik ze op het laatste moment toch niet zou willen geven. Ik denk dat hij niet begreep wat mij vandaag mankeerde. Maar tegen gratis sigaretten zei hij geen nee, zo simpel was dat.

'Steek er maar een op.' Ik had gedacht dat hem dat niet zou lukken met dat gips. Dus zo aardig was het ook weer niet om hem die sigaretten te geven. Maar het lukte hem wel, al was het met moeite. Zijn pols en onderarm zaten in het gips, maar zijn vingers kon hij nog wel gebruiken.

Danny stak de aansteker in zijn zak en inhaleerde diep, alsof hij de sigaret in één trek op wilde roken. Hij blies uit.

'We duiken onder,' zei hij.

Ik was geschokt. Niet vanwege dat onderduiken, dat verbaasde me nauwelijks. Ik was geschokt omdat hij me zoiets vertelde.

'Hoezo?' vroeg ik.

Hij haalde zijn schouders op.

'Heeft het te maken met je pols?' vroeg ik.

Hij nam weer een haal van zijn sigaret en tuurde over mijn schouder in de verte.

'Wil je niet naar de politie?' zei ik. 'Volgens mij is het verboden om mensen een gebroken pols te slaan. Ik ga met je mee, als je wilt.'

'We hendelen dit zelf.'

Waarschijnlijk hadden Bruce en hij iets gedaan wat nog een graadje erger was dan iemand een gebroken pols slaan.

Daar stonden we. Odette had geprobeerd Oliviers haar door de war te maken. Zou ik dat bij Danny doen, als afscheid? Ik deed het niet. Ik had al gek genoeg gedaan. En bovendien had Danny stiekels, dus veel viel er niet door de war te maken. Hij liep de ene kant op en ik de andere. Dat was ons afscheid. Maar terwijl ik in de richting van de Grote Markt liep, had ik wel voor het eerst van mijn leven het gevoel dat we misschien broer en zus waren. We hadden een paar uur lang geen ruzie gemaakt. Hij had me zomaar uit zichzelf verteld dat hij ging onderduiken.

En aan wie hadden we dat te danken? Aan de nieuwe Tiffany Dop! Hoera voor haar! De baby wierp zijn schaduw vooruit, nee zijn zonnestralen, nee, nou ja, je begrijpt me wel. Mijn kindje maakte ons leven nu al mooier.

13

Ik wachtte tot ik op m'n vruchtbaarst zou zijn. Nog vijf dagen. Nog vier. Nog drie.

Danny en Bruce lieten zich niet zien. De flat leek ineens twee keer zo ruim. Er was plaats op de banken. En het was stil in huis, want de tv stond minder vaak aan. En in mijn kamer werd niet gesnurkt of geboerd en er werden geen scheten gelaten.

Ik vroeg Sheila of ze wist waar Danny en Bruce uithingen.

'Zai moak'n Waailap kop maal.'

'Waarom komen ze niet thuis?'

''k Wait nait.'

Sheila sprak alleen Gronings en deed opvallend vriendelijk. Normaal was ze zich er nauwelijks van bewust dat ik bestond. Nu vroeg ze 's ochtends wat ik die dag ging doen. De eerste keer dacht ik dat ze me in de zeik nam, maar ze zei dat ze gewoon benieuwd was. Daar was ik behoorlijk blij mee. Ze deed aardig!

'Ik denk dat ik wat ga lezen in de bibliotheek,' zei ik toen maar.

'Da's ja mooi,' zei ze.

's Avonds vroeg ze of ik een leuke dag gehad had.

'Heel leuk,' zei ik. 'Dank je.'

Misschien vond ze het heerlijk dat Danny en Bruce haar even niet voor de voeten liepen. Of misschien was zij ook aan het veranderen. Werden we allemaal aardige mensen! Helemaal begrijpen deed ik het niet. Maar het was niet verkeerd.

En mijn baby zou alles nog beter maken. Mijn leven, maar ook dat van Sheila. Natuurlijk zou ze sacherijnig zijn als ze moest betalen voor luiers of kleertjes. Maar wacht maar tot zij de baby vasthield! Wacht maar tot ze de baby aankleedde! Misschien zouden zelfs Danny en Bruce stiekem gek zijn op de baby. Baby's kunnen tenslotte prima scheten laten en boeren, dus ze hadden iets gemeen.

's Ochtends ging ik inderdaad naar de bieb. Ik zat aan een tafeltje met een stapeltje tijdschriften, de 'Kinderen' en de 'Viva mama', dat soort bladen. Soms las ik een stukje, maar liever keek ik foto's. Ik vroeg me af op welk van de kinderen mijn kindje zou lijken. Ik keek ook graag naar hun kleertjes, vooral de meisjeskleren – de jurkjes, rokjes, de broekpakjes. Voor baby's had je schattige pakjes waar de sokjes al aan zaten. Zo lief! Als ik daarnaar keek kreeg ik tranen in mijn ogen.

Tiffany Dop kickt op babykleertjes, dacht ik. Lachuh! Maar zo was het en niet anders. Ik begon al aan mijn nieuwe zelf te wennen.

Ik keek ook naar de moeders. De een leek nog stralender dan de ander. Nou snapte ik best dat ze misschien alleen even voor de foto blij keken, en dat hun vriend ze misschien weer in elkaar zou slaan zodra de fotograaf de deur uit was. Ik ben niet achterlijk. Maar dat ze gelukkig waren met hun kindjes daar twijfelde ik niet aan. Dat zag ik gewoon. En dan te bedenken dat ik straks ook zo'n moeder zou zijn!

Niet ver van de bibliotheek was een winkel waar ze babyspullen verkochten: babykleren, babybordjes, babylampjes, ik zag zelfs speciale babynagelschaartjes. Ik stelde me voor dat ik er met mijn eigen kindje kwam. Het was een meisje, ze lag in zo'n moderne kinderwagen op dikke luchtbanden en ik reed met haar de winkel door. We bedachten wat we voor haar zouden kopen – welk wipstoeltje vind je leuker, de roze of de witte met bloemetjes? Heb je liever een behangetje met olifantjes of een met vliegtuigjes?

Soms schoot me per ongeluk een praktisch probleem te binnen. Waar gingen we dat behangetje plakken? Bij mij op de kamer? Zouden Danny en Bruce dan liever de olifantjes hebben of de vliegtuigjes? Maar bij dat soort vragen stond ik nooit lang stil. Als mijn kindje er was zou ik dat allemaal wel oplossen. Als mijn kindje er was, en ik helemaal de nieuwe Tiffany Dop was, zou ik alles voor elkaar krijgen.

Ik kocht er ook iets: een speeldoosje met een balletdanseres in een wit jurkje. Ik nam het mee naar mijn geheime bergplaats. Ik wond het op. Er speelde een droevig tinkelliedje. Het danseresje draaide rondjes op haar tenen. Ik bleef het opwinden. Uiteindelijk borg ik het op in het gat waar ik ook mijn geld bewaarde.

Een keer ging ik naar de winkel waar ik het zomerjurkje en de beha gekocht had. Ik nam een broek mee een kleedhokje in. Ik kleedde me uit tot op mijn onderbroek en bekeek mezelf in de spiegel. Ik was trots op mezelf. Straks was ik toch maar mooi vruchtbaar! In die platte buik van mij, tussen de uitsteeksels van mijn heupbotten, kon een baby groeien! De broek hing ik terug, zonder hem gepast te hebben.

Elke dag ging ik langs Odette. Ik wilde Roosmarijn ontzettend graag weer op schoot nemen, of in bad doen, of haar een flesje geven. Misschien kon ik haar filmen met m'n mobiel, dan kon ik thuis naar haar kijken. Maar Odette deed nooit open. Hoe vaak ik ook aanbelde. Uiteindelijk hield ik het niet meer uit en belde Olivier om te vragen waar ze waren.

'Op Terschelling.'

Logisch. Het was zomervakantie.

'Ik wou je net bellen,' zei Olivier. 'Kom je een keer langs?'

'Waarom?'

'Omdat ik dat leuk zou vinden.'

'Maar we hebben steeds bijna ruzie.'

'Nietes!' riep hij.

Pas na een paar tellen snapte ik dat dat waarschijnlijk een grapje was.

'Hoe laat?' vroeg ik.

Er kon ellende van komen. Maar ik ging. Vooral omdat ik had bedacht dat de nieuwe Tiffany Dop vrienden zou hebben. Niet veel, een of twee. Misschien zou Olivier er een van kunnen zijn. Als ik met mijn kindje de eendjes ging voeren, ging hij bijvoorbeeld mee. En als mijn kindje één werd, kwam hij op verjaarsvisite, en dan hielp hij mijn kindje met uitpakken, want zo'n cadeaupapier is lastig als je één bent.

Olivier woonde aan de andere kant van de stad.

De huizen waren er groot en oud, verstopt in groene tuinen. De bel van Oliviers huis zat niet naast de deur, maar op een ijzeren hek. De oprit daarachter maakte een bocht en achter die bocht kon je een stuk van een huis zien liggen.

Ik belde aan.

'Het hek is open!' Ik schrok me suf. Het hek had een intercom. 'Loop maar door!'

Olivier kwam me tegemoet. Hij gaf me een hand – net of we volwassen waren of zo. Hij vroeg of ik zijn kamer wilde zien of dat ik liever buiten wilde zitten. Hij vroeg wat ik wilde drinken, thee of fris, en of hij dat met of zonder koekjes zou serveren. Dat woord gebruikte hij: serveren.

Ik zei 'buiten' 'thee' en 'met koekjes, alstublieft, dankuwel.' We stapten door openslaande deuren een terras op. Olivier bood me een schommelbankje aan en verdween naar binnen. Even later kwam hij terug met een dienblad, dat hij tussen ons in op een bijzettafel zette. Op dat blad stonden, ik verzin het niet: een theepot, twee kopjes, twee bijpassende schotels, een bijpassend melkkannetje, een bijpassende suikerpot, drie lepeltjes en een koektrommel.

'Die trommel past niet echt bij de rest, hè,' zei ik. 'Jammer.'

Hij keek ongelukkig. 'Vind je? Het is gewoon onze trommel.'

Hij zette de bijpassende kopjes op de bijpassende schoteltjes. Misschien leed hij aan een zeldzame bedieningsziekte, die ervoor zorgde dat je iedereen altijd en overal het juiste servies en bestek moest geven, vriend en vijand. Ik was ook nog benieuwd naar het waarom van de drie lepeltjes, terwijl we toch duidelijk met z'n tweeën waren, maar dat raadsel loste hij al voor me op. Hij zette een lepeltje in de suikerpot.

We keken uit over de tuin – een groot grasveld, met daarachter struiken en bomen in allerlei tinten groen. We dronken thee uit de kopjes en aten speculaasjes. We praatten over school: op welke school we zaten, welke vakken we hadden. Misschien is 'converseerden' een beter woord. We waren beleefd. Een tuinsproeier deed 'woeswoesj'. In de verte klonk een motor van een elektrische grasmaaier. Af en toe schommelde ik even.

Van het ene op het andere moment begon het te stortregenen. Wij zaten droog, want het terras was overdekt. Maar de tuin werd echt aangevallen. Zo klonk het ook. De regendruppels sloegen keihard op het dak boven ons.

'Waarom wil je eigenlijk een baby?' vroeg Olivier.

'Dat heb je al gevraagd.' Ik moest schreeuwen om boven het lawaai uit te komen.

'Maar toen gaf je geen antwoord. Ik moet het anders vragen. Dat je een baby wilt kan ik me best voorstellen. Maar waarom niet later?'

Misschien moest ik toch antwoord geven. De nieuwe Tiffany Dop wou toch vrienden? Vrienden vertellen elkaar dingen. Ik voelde wel dat ik veel liever m'n mond hield, maar dat gaf niet, want ik was goed in dingen doen die ik niet wilde. Dat is echt een specialiteit van mij. Daarom wist ik ook dat ik seks kon hebben terwijl ik daar geen bal zin in had. Daarom kon ik Danny en Bruce op hun flikker geven. Dus ik kon ook best even eerlijk zijn. Gewoon een paar woorden zeggen, wat was daar nou aan?

Olivier keek me aan. Hij wachtte nog altijd op antwoord.

De regen maakte iets minder lawaai, alsof hij ook wilde horen wat ik te zeggen had.

Ik dacht: ik wil een kindje omdat ik wil zijn wie ik ben met een kindje. Maar ik zei het niet hardop. Ik kon het niet uit mijn strot krijgen.

Nou, dan niet! dacht ik. Dan maar geen vrienden. Kan mij het schelen. Wat doe ik hier ook?

Ik stond op en zei dat ik ging. Olivier keek naar de regen die nog altijd neerplensde, al was het dus minder hard dan net. Hij vroeg of ik niet nog even wilde blijven, ik zei nee, hij zei dat hij me dan thuis zou brengen en ik zei dat dat niet hoefde en dat ik aan de andere kant van de stad woonde en hij zei dat dat niet uitmaakte. Zo gingen we even door. Uiteindelijk liep hij weg. Waarom wist ik niet. Ik wou al gaan, toen hij weer aan kwam zetten met twee paraplu's.

Vooruit dan maar, dacht ik.

Daar gingen we, door het lawaai van de regen, een eind uit elkaar, omdat anders onze plu's botsten, in een wereld die alleen bestond uit straten met plassen en stoepen met plassen. De zin van dat thuisbrengen ontging me nog steeds, maar ik snapte wel dat hij het goed bedoelde. En ik snapte ook wel dat ik niet aardig was geweest.

Zonder dat ik dat nou echt van plan was, klapte ik mijn paraplu in en ging bij hem onder de paraplu lopen. Mijn hand op zijn arm. Onze passen gingen gelijk.

We zeiden niks. Het had iets gezelligs, zo samen, ingesloten door de regen en met de paraplu als een dak boven ons.

Voor de hal van de flat stonden we stil. We hadden tijden gelopen, maar ik wilde nog niet naar binnen, dus ik zei het eerste dat me inviel.

'Als je nog eens wilt vechten, moet je niet zo staan.' Ik legde mijn paraplu neer en deed voor hoe hij gestaan had. 'Hou je vuisten bij je. Dat geeft je betere dekking. En je kunt zelf harder stoten.'

Hij klapte zijn paraplu in, legde hem naast de mijne en ging net zo staan als ik.

Misschien denk je: vreemd om de hele weg onder een paraplu te lopen om je dan te laten natregenen als je er bent. Terwijl we ook in de droge hal hadden kunnen gaan staan. Maar zo ging het. En op dat moment vond ik het heel logisch.

Hij stond best goed, maar toch pakte ik zijn handen en zette ze nog beter in positie, de linker iets voor de rechter. Ik ging achter hem staan, legde mijn handen op zijn schouders. Zijn shirt was al doorweekt. De regen plakte het aan hem vast. Door de stof heen zag ik zijn huid. Ik draaide zijn linkerschouder iets naar voren. Ik legde mijn handen op zijn heupen en draaide zijn linkerheup naar voren.

'Beter zo?' vroeg hij.

Ik liep om hem heen en bekeek hem kritisch. Ik duwde zijn knieen iets naar voren, zodat hij iets meer door zijn knieën zakte. Ik drukte zijn hoofd iets naar beneden zodat hij meer wegdook achter zijn vuisten. Het ging me niet meer om zijn vechthouding, maar het was wel belangrijk om te blijven doen alsof. Ik vond het fijn om hem aan te raken. Ik duwde hier, en trok daar, maar op een gegeven moment kon ik onmogelijk nog iets aan zijn houding verbeteren.

Ik ging tegenover hem staan, in vechthouding. We hielden een schijngevecht. We draaiden om elkaar heen, we stootten, we ontweken. Vlak voor we elkaar troffen hielden we in, zodat we elkaar wel raakten, maar zacht. Zijn ogen kon ik niet zien, want zijn brillenglazen waren een en al druppel. Hij kon mij blijkbaar zien, want hij scoorde punten op mijn buik en op mijn hoofd.

Ik deed een aanval die ik wel eens bij boksen had gezien: ik liep met mijn lichaam tegen hem op. Het idee is dat je tegenstander dan te weinig ruimte heeft om goed te kunnen stoten. Ik stopte met vechten, maar bleef wel tegen hem aan hangen, mijn borstkas tegen de zijne, mijn wang naast zijn wang. Hij stopte ook met vechten. Ik was warm en koud tegelijk. Warm van het vechten, koud van de regen, warm van hem. We bleven zo staan tot we niet meer hijgden.

Ik bracht mijn mond naar zijn oor en fluisterde: 'Ik wil zijn wie ik ben met een kindje.'

Ik maakte me van hem los en rende de hal van de flat in.

14

Nog maar twee dagen! Mijn vruchtbaarheid was opgelopen tot een veelbelovende 14,6 procent, nog maar 2,7 procent minder dan overmorgen, de dag ik op mijn vruchtbaarst was. Ik liep over het parkeerterrein voor onze flat naar huis, in gedachten duwde ik een kinderwagen met een schattig baby'tje en neuriede *slaap kindje slaap*. Bij *die drinkt zijn melk zo zoetjes* kwam er een man naast me lopen. Hij droeg een net pak. Dat viel op. In de buurt van onze flat zag je nooit pakken. Het was donkerblauw met smalle witte streepjes die van boven naar beneden liepen.

'Tiffany?'

Hij legde een arm op mijn elleboog. Die veegde ik er meteen weer af.

'Ja?' zei ik, terwijl ik doorliep.

Hij nam mijn arm en bleef staan. Hij kneep niet en deed me geen pijn. Maar ik moest wel blijven staan. Dat beviel me niet. Ik nam me voor hem te slaan zodra zich een geschikte gelegenheid voordeed. Nu hield ik me in. Hij was sterk, volwassen, hij wist hoe ik heette en vast ook waar ik woonde.

'Ik heb een probleem,' zei hij. 'Misschien kun jij me helpen.'

Ik staarde naar zijn hand om mijn arm en keek alsof ik iets smerigs at. Zolang hij me vasthield zei ik niks.

Hij liet me los.

'Ik krijg nog geld van je broers. Maar ze zijn weg. Hoe krijg ik mijn geld nou terug?'

Schulden! Dat verklaarde vast alles. Waarom Danny en Bruce waren verdwenen. Hoe ze aan die boksspullen waren gekomen.

'En daarom dacht ik: misschien wil jij een boodschap overbrengen?'

'Geen idee waar ze uithangen,' loog ik.

'Ik heb ze één keer gewaarschuwd. Dat was onprettig. Dit is de tweede keer. Drie keer zou te vaak zijn, vind je ook niet?'

Wanneer Danny's gebroken pols de eerste waarschuwing was geweest, leek een derde waarschuwing me inderdaad geen goed idee.

'Om hoeveel gaat het?'

'Rente meegerekend, twaalfhonderd, te betalen aan mij, Harris, te vinden in Jack's Casino. Als ik er niet ben, kom ik zo.'

'Wanneer hebben ze dat geld geleend?'

'Maand of twee geleden.' zei hij. 'Fijn dat je wilt helpen.'

Hoewel ik dat dus niet beloofd had. Hij streek over mijn haar. Dat leverde hem een extra klap op, bij die geschikte gelegenheid, waar ik me nu al enorm op verheugde.

De man, die dus Harris heette, liep weg over het parkeerterrein. Hij stapte in een lange, donkerblauwe auto. De auto had smalle witte streepjes van boven naar beneden – exact dezelfde streepjes als zijn pak. Dus als hij stil zou staan recht voor zijn auto, zag je hem niet. Ik vond dat een leuk plaatje. Harris die doodstil voor zijn auto stond te wachten, tot er iemand langsliep van wie hij nog geld kreeg, maar er kwam niemand, dus hij stond zo lang tot hij begon te wiebelen.

In het echt reed de auto het parkeerterrein af, de weg op en de bocht om.

Dus mijn broertjes hadden ook verborgen gehouden dat ze geld hadden! Waren ze toch slimmer dan ik gedacht had. Helemaal gelukt was het niet, want ik had hun boksspullen gezien, maar dat was weken later. Toen Sheila ons op straat zette om sigaretten te halen, barstten ze van het geld! Of hadden ze toen alles er al doorheen gejaagd?

Ik liep de hal in. Sinds Danny en Bruce weg waren, rook het niet meer naar pies.

Toen ik de keuken binnenkwam, stond Sheila te roken bij het aanrecht.

'Goiendààg. Zellen wie oet eten goan? Wie hemm'n toch wat te vieren, nait?'

Ik was benieuwd wat het was. Misschien was zij wel zwanger! Dat zou wat zijn. Konden onze kindjes samen spelen.

Ik dacht dat we naar de Snek Plek zouden gaan, maar we liepen ervoorbij en even later zaten we tegenover elkaar aan een tafeltje bij een pizzeria. De ober kwam vragen of we iets wilden drinken.

'Tweie kovvie uut koelkaast!' riep Sheila.

Het bleek geen Groninger te zijn. Toen hij doorkreeg dat ze twee bier wilde, zei hij dat hij mij geen bier kon geven, omdat ik geen zestien was. Sheila zei: dan twee bier voor mij en niks voor haar. Daar trapte de ober niet in. Sheila wilde de manager spreken. De manager kwam. Sheila verzon dat het mijn vijftiende verjaardag was en dat ik toch best mijn eerste biertje mocht drinken? De manager legde nog maar eens uit dat alcohol schenken aan minderjarigen een misdrijf was. Ruzie, schreeuwen, stoel omver en even later zaten we bij de Chinees even verderop, Sheila achter een biertje en ik met een Spa blauw.

We bestelden en Sheila stak een sigaret op.

'Is ook verboden,' zei ik.

Haar blik zei: goa vot, maar ze zei: 'Doe bist ja 'n naacht nait thoes komm'n.'

'Ik had opgepast en was in slaap gevallen.' Zolang ze maar niet wist bij wie, kon het geen kwaad.

'Haarst doar dai neie kleier veur neudeg?'

'Nee. Hoezo?'

'Sta eens op.'

Ik deed maar wat ze zei. Ze stak haar hand in mijn broekzak.

'Hou komst d'r aan?'

Ze hield mijn mobieltje omhoog. Ik schrok me helemaal kalm, als je begrijpt wat ik bedoel. Had ze geweten dat ik hem had? Had ze mijn kleren doorzocht? Hoe kletste ik me hieruit? Ik ging weer zitten.

'Nou?'

'Die heb ik gejat. Mag ik hem terug?'

'Zeker, laiverd.' Ze gaf me het mobieltje, lachte lief en blies rook naar links en naar rechts. Ze had de tijd van haar leven.

'Hailig geld, zes letters.'

In die leipe puzzels van haar had ik nu eventjes geen zin.

'Dink nou moar evenpies op dien gemak na.'

Vier jaar lang had ik verborgen gehouden dat ik geld had. En nu dit! Waarom was ik niet voorzichtiger geweest?

Ons eten werd gebracht. De ober zette onze tafel vol kleine en grote schaaltjes en vroeg of ze haar sigaret uit wilde maken. Ze zei dat ze het zo zou doen, maar ze deed het niet.

'Jij was toch zo slim?' zei ze, toen de ober verdwenen was. 'Wou je niet naar het A-the-ne-um? Dan kun je toch wel een simpel cryptogrammetje oplossen?'

Ik schepte mezelf op. Tenminste, dat was ik van plan, maar Sheila greep mijn pols. Rijst vloog over tafel. Ze staarde me aan.

'Sint'n,' zei ze.

Heilig geld. Sint'n. Ik snapte hem. Ze liet me los en begon zichzelf op te scheppen.

'Jij lijkt op mij,' zei ze. 'Vergeet dat niet.'

Ik begreep wat ze dacht. De sexy kleren, de nacht die ik wegbleef en nu het mobieltje. Ze dacht dat ik de hoer speelde. Dat waren we aan het vieren. Daarom had ze al dagen zo'n goed humeur. En ik denken dat ze aan het veranderen was in een nieuwe Sheila Dop. Ha!

Ik keek hoe ze at. Hap rijst, hap kroepoek. Het smaakte haar goed.

''t Is mie om 't ains houst aan 't geld komst,' zei ze tussen twee happen door. 'Moar ik wil helfte.'

'Even rekenen,' zei ik. 'De helft van niks. Hoeveel is dat?'

Dat vond ze wel lollig. Maar het zou me niet helpen. Ze rook geld.

Ik schepte ook op en dwong mezelf een paar happen te eten.

Ze kan niet voorkomen dat je een kindje krijgt, zei ik tegen mezelf. Dat is het belangrijkst.

De rekening werd gebracht op een schoteltje waar ook twee pepermuntjes op lagen. Sheila stak er eentje in haar mond en schoof het schoteltje naar me toe.

'Traktaierst doe?'

'Ben je doof?' zei ik. 'Ik heb geen geld. Begrijp je? Geen. Geld.'

'Dan moet je zien dat je het krijgt. Ik wacht hier. Hup!'

Ik stak de rekening in mijn zak en liep naar buiten. Het leek wel middag, zo licht en zo warm was het nog. Ik bekeek de rekening. Vijfenveertig euro zestig. En nu? Ik zat klem.

Ik kon ervandoor gaan en Sheila laten stikken. Aanlokkelijk, maar dom, want dat werd straf. Als ze me opsloot (en dat deed ze soms met Danny en Bruce) kwam mijn seksdate in gevaar, want die was overmorgen al. Maar als ik wel betaalde, wist ze zeker dat ik aan geld kon komen. Dan kon ik voortaan elke dag geld ophoesten. Ook geen fijn vooruitzicht, want dan was ik zó blut, en ik had mijn geld nodig voor de baby.

Wat zou de nieuwe Tiffany Dop doen?

Daar werd het een stuk simpeler van. De nieuwe Tiffany Dop koos voor haar kansen op een kindje.

Ik liep naar de bergplaats, nam een briefje van vijftig uit de trommel, liep terug, betaalde de rekening bij de kassa en wandelde het restaurant uit zonder Sheila nog aan te kijken. Ik kon zelf wel verzinnen hoe triomfantelijk ze keek.

15

De volgende ochtend zat ik op het klapstoeltje bij mijn bergplaats en wond het speeldoosje op. Mijn persoonlijke vruchtbaarheid was opgelopen tot een knappe 16,9%. Maar 0,4% minder dan morgen, de dag van mijn maximale vruchtbaarheid, de dag van mijn afspraak met meneer de seksmachine.

Het doosje tinkelde en de danseres draaide haar rondjes op één been, haar handen hoog in de lucht. Ik probeerde ook zo te staan. Dat ging, maar erbij draaien lukte me niet zonder om te vallen. Ik wond het doosje nog eens op. Terwijl het speelde pakte ik de koektrommel uit het gat en haalde de pedaalemmerzak met geld eruit.

Sint'n.

Sheila wilde geld van mij. Harris wilde geld van Danny en Bruce. Olivier was misschien wel eerlijk en aardig, maar ook hij wilde aan me verdienen. Iedereen wilde geld van iedereen.

Dit geld was van mij.

Ik was zeven jaar en zat in groep vier. Op een woensdag vroeg juf Daan of ik na wilde blijven. Toen de kinderen de klas uit stroomden bleef ik zitten. Ik was van mijn vorige school gestuurd omdat ik vocht. Hier vocht ik nog meer. Ik wist niet of ik vocht omdat iedereen een hekel aan me had, of omdat iedereen een hekel aan me had omdat ik vocht. Het kon me ook niet schelen. Ik zat niet met dat vechten. Ik vond het handig wanneer kinderen bang voor me waren, geloof ik.

Juf Daan ging op de stoel naast me zitten – niemands stoel, want ik zat alleen, pal voor haar bureau. Ze was een lange vrouw, ik denk wel twee meter en haar benen pasten niet onder de bank, dus ze moest het stoeltje naar achteren trekken.

Ze bladerde door mijn dicteeschrift.

'Tiffany Dop,' zei ze. 'Jij kunt heel net schrijven.'

Ik wachtte op de maar. Het kon van alles zijn: 'maar je moet beter opletten', of: 'maar je moet wel op tijd op school komen'. En het meest waarschijnlijk was natuurlijk: 'maar je moet ophouden met vechten'.

'Daar kan ik natuurlijk een sticker voor geven,' zei juf Daan. 'Maar dat doe ik nou eens niet.' In plaats daarvan begon ze in mijn schrift te tekenen. Ik zat naast haar en keek toe. Ze tekende een danseres, op één been, met haar handen boven haar hoofd.

'Vind je haar mooi?'

Ik knikte voorzichtig.

'Mooi!' Ze sloeg mijn schrift dicht en legde het in het vakje onder mijn tafel. 'Dan mag je nu naar huis.'

Ik was in de war. Ik wachtte nog steeds op de maar. Ik vermoedde dat de tekening een soort val was, en dat ik alsnog op mijn kop zou krijgen, als ik nu de klas uit liep. Maar juf Daan zei alleen nog 'tot morgen!' Ik pakte mijn jas van de kapstok en liep de school uit. Het plein was leeg. Het was koud. Ik ging op de bank rond de boom zitten. Door het raam zag ik juf Daan bezig in de klas. Ze gaf plantjes water.

De woensdag erop vroeg ze weer of ik wilde nablijven. Weer kwam ze naast me zitten, weer schoof ze het stoeltje naar achteren, omdat haar benen niet onder de bank pasten.

'Tiffany Dop,' zei ze. 'Wat heb jij deze week geweldig opgelet!'

Ik begon te huilen. Ik had gehoopt dat ze iets aardigs zou zeggen en nu ze dat deed, moest ik huilen. Het was allemaal even onbegrijpelijk. Ze gaf me een papieren zakdoekje om mijn neus te snuiten. Ze maakte weer een tekening. Dit keer werd het een dansende olifant.

Zo ging het elke woensdag. Elke keer zei ze. 'Tiffany Dop...' En dan kwam er iets aardigs.

'Tiffany Dop, wat heb je deze week fantastisch gerekend!'

'Tiffany Dop, je hebt haast niet gevochten!'

Op een dag zei ze: 'Tiffany Dop, trek je jas aan!' Ik mocht bij haar op de bagagedrager. Ze nam me mee naar de V&D in de stad. We gingen vier roltrappen omhoog. Daar was een restaurant.

'Zoek maar iets lekkers uit,' zei ze. 'Ik ben overmorgen pas jarig, maar dan hebben we het maar vast gevierd.'

De woensdagen bleven van ons, ook toen ik in groep vijf zat. Als om halféén de school uitging, ging ik naar haar klas. Ze maakte geen tekeningen meer, maar ze zei nog wel altijd iets aardigs.

'Tiffany Dop, wat zie je weer stralend uit!'

'Tiffany Dop, je bent een schat.'

Soms zei ik iets aardigs terug.

'U ook, juf.'

Meestal gingen we werken. Zij keek na en ik werkte vooruit in mijn rekenschrift. Of ik las een boek dat ze voor me mee had genomen. Ik hoorde bij de besten van de klas. Een paar keer gingen we fietsen, ik bij haar achterop.

Op een dag kwam de directeur in de pauze op het plein naar me toe. Hij gaf me een briefje. Het was van juf Daan. Ze vroeg of ik woensdag bij haar op bezoek wilde komen. Het adres stond eronder.

Ze woonde in een flat, maar een die ruimer was dan die van ons. Een man die ik niet kende deed open. Hij nam me mee naar een kleine slaapkamer. Juf Daan lag in bed. Ik ging bij haar op bed zitten. Ze pakte mijn hand.

'Ik ben ziek,' zei ze.

Ik geloof niet dat ik het meteen echt snapte. Het was allemaal vreemd en anders dan anders. Ze tekende twee fladderende vlinders voor me. 'Weet je nog wat ik allemaal tegen je gezegd heb?' vroeg ze, onder het tekenen.

'De aardige dingen?'

'Wil je ze opschrijven?'

'Nu?'

'Thuis. En goed bewaren?'

Ik knikte.

'Bent u volgende week weer op school?'

'Ik denk dat ik niet meer kom.'

'Mag ik dan hier komen?'

'Niets zou me blijer maken, Tiffany Dop!'

Ik las een boek dat ik had meegenomen – de Griezels van Roald Dahl. Toen het tijd was om te gaan, pakte juf Daan iets van onder haar kussen, ik kon niet zien wat, en drukte het me in de hand.

'Dit is voor jou,' zei ze zacht. 'Stop het bij je onderbroek in, zodat het vastzit onder het elastiek. Toe maar. Ja, nu.'

Ik deed wat ze zei. Ik dacht dat ze een soort goocheltruc wilde laten zien, dat ze wat ze me gegeven had opnieuw van onder haar kussen tevoorschijn zou halen of zoiets. Dat was het niet.

'Mijn man mag het niet zien,' zei ze zacht.

'Waarom niet?'

'Omdat het geheim is. Ons geheim. Wat ik je gaf is voor jou. Niet voor hem, niet voor je moeder, niet voor je broers. Alleen voor jou. Bewaar het, tot er een moment komt dat je het goed kunt gebruiken.'

Twee straten verder haalde ik het geheim uit mijn onderbroek.

Het waren briefjes van honderd euro, opgerold met een elastiekje erom. Ik durfde ze niet mee naar huis te nemen. Juf Daan had gezegd dat het alleen voor mij was, dus Sheila, Danny en Bruce mochten het niet vinden. Ik liep op goed geluk de stad uit. Ik vond het gat. Met een stuk hout groef ik de bergplaats in de wand van het gat. Ik telde de briefjes. Het waren er vijftig. Ik legde ze in het gat. Op het troepige terrein vond ik planken waarmee ik het gat bedekte. De koektrommel en de pedaalemmerzak nam ik de volgende dag mee van huis.

Toen ik de woensdag erop aanbelde was juf Daan net dood.

Zo was ik aan het geld gekomen.

Ik pakte twaalf briefjes van honderd en stak ze in mijn achterzak.

Nu Sheila wist dat ik aan geld kon komen raakte ik het toch kwijt.

Dus ik kon net zo goed de schuld van mijn broertjes aflossen.

Op naar Jack's Casino.

16

De deur van Jack's Casino was nog op slot. Dus toen kocht ik bij een kiosk de *Knippie Baby* ('de leukste babykleertjes maak je zelf'). Ik liep naar de Prinsentuin, een ommuurd klein parkje in de buurt, met keurige heggen en bloemperken en grindpaadjes. Op een bankje bladerde ik het blad door. Ik keek vooral plaatjes. Waarom ging ik betalen? Misschien wel omdat ik iemand wilde zijn uit de *Knippie Baby* op m'n schoot: een lachende, stralende moeder met een baby'tje in haar armen, met voor haar voeten een peutertje dat met blokken speelde, in een ruime kamer met een houten vloer waar zonlicht op schijnt. Zo iemand liet haar broers niet in elkaar slaan door criminele schuldeisers.

Toen ik weer ging kijken stond de deur van Jack's Casino wijd open. Ik wandelde over een rode loper naar binnen en stapte een andere wereld in. Buiten had je harde straatstenen. Buiten had je geluiden. Buiten had je daglicht. Binnen was het tapijt zacht. Binnen had je zachte muziek. Binnen was het licht gedempt. Het meeste licht kwam niet van lampen, maar straalde geel, oranje en rood van de rijen speelautomaten.
Mensen zag ik niet. Jack niet en ook Harris niet, dus ik liep door. Voor elke automaat stond een rode kunstleren stoel. Ik ging op eentje zitten. Je raadt het: zacht.
Halverwege was een brede trap, ook al bekleed met tapijt. Ik ging boven kijken.

Ik vond Harris op de eerste verdieping, helemaal achterin. Hij zat op zo'n rode draaistoel, alleen, en tuurde naar een roulettetafel. Ik geloof niet dat hij speelde. Hij droeg hetzelfde camouflagepak als gisteren – of een identiek pak.

Toen hij mij zag sprong hij energiek op, liep op me af, en stak een hand uit.

'Tiffany!'

Ik hield mijn handen verstopt achter mijn rug. Toen legde hij een hand op mijn schouder, wat me herinnerde aan de klappen die hij nog tegoed had. Als ik voor deze hand op mijn schouder één klap rekende, dan kwam het totaal op drie.

Ik wachtte even en veegde zijn hand toen van me af.

'Ik heb wat voor je,' zei ik.

'Aha?'

Ik gaf hem de Knippie Baby.

Hij bladerde het blad zorgvuldig door. Ik denk dat hij verwachtte dat er geld tussen de pagina's zat. Nou, niet dus.

Hij keek me vragend aan.

'De leukste babykleertjes maak je zelf,' zei ik.

Hij legde de Knippie Baby op een stoel. Hij staarde me aan. Ik denk dat hij niet goed wist wat hij aan me had. Was ik gek? Irritant? Bruikbaar?

'Bedankt,' zei hij. 'Was dat het?'

Ik haalde het geld uit mijn achterzak en gaf het aan hem. Hij telde de briefjes. Ondertussen liep hij langs me, en bleef midden in het gangpad staan, zodat hij me de weg naar buiten versperde. Daar begon het gelazer al. Is er geld, dan wil iedereen weten waar het vandaan komt. En of daar toevallig nog meer is.

Normaal zou ik altijd een gevecht vermijden – zeker met iemand die groter en sterker is dan ik. Maar hij had die paar klappen tegoed. Ik zorgde dat ik er sloom en niet vechtlustig bij stond, met mijn armen slap langs mijn zij. Ik kon hem verrassen. Ik wist het. Hij onderschatte me. Een stomp in zijn maag of een knie in zijn kruis en ik was weg.

'Geweldig!' zei hij, terwijl hij het geld in zijn achterzak stopte.

'Het is niet belangrijk, maar van wie komt dit geld?'

'Van Danny en Bruce.'

'Dat begrijp ik. Maar hoe komen zij eraan?' Hij stond al niet ver weg, maar kwam nog dichterbij. Ik denk dat hij het dreigend bedoelde, maar het was ideaal voor mijn verrassingsaanval.

'Ik ben nieuwsgierig. Ik denk echt dat je het me moet vertellen.'

'Ze zeiden dat ik m'n bek moest houden,' zei ik.

'Waarom zou je? Ik vertel het heus niet door.'

'Nou eh...' zei ik. 'Stel... Ik zeg niet dat het zo is, hè, maar stel, begrijp je?'

Hij knikte. 'Stel...'

'Dat bedoel ik! Stél! Het zou zo kunnen zijn. Maar het zou ook niet zo kunnen zijn. Dat weet je dus niet.'

Ik zat hem te stangen en dat was dom. Hij werd ongeduldig. 'Stel wat?'

'Je zou ook kunnen zeggen: misschien. Of misschien niet.'

Hou op! zei ik tegen mezelf. Als je per se wilt vechten, kom dan een andere keer terug. Denk aan je seksdate!

'Stel dat ze twaalfhonderd euro hebben gejat van een oude schooljuf,' zei ik. 'Dan kan ik jou dat toch niet vertellen? Misschien ben jij wel van de politie. Hoe moet ik dat weten?'

Ik wurmde me langs hem. Als hij probeerde me tegen te houden, ging ik alsnog voor de knie in zijn kruis. Ik kon zijn hand op mijn schouder al bijna voelen. Ik zweefde op mijn nepnikes over het tapijt, langs de rijen speelautomaten, met de rijen rode stoelen, naar de uitgang.

De hand op mijn schouder kwam niet. Toch jammer.

Ik stapte de echte wereld in, met de echte geluiden en echt licht.

17

Ik liep naar huis, pakte Sheila's fietssleutel uit de keukenla en fietste op haar fiets naar Waailap. Ik ging mijn broers vertellen dat ze tevoorschijn konden komen. Ook dat was eigenlijk wel jammer, want van mij mochten ze best nog even wegblijven. Maar ik was nou eenmaal die nieuwe Tiffany Dop en dit leek me iets voor haar.

Waailap woont op een boerderij. Bij 'boerderij' denk je misschien aan weilanden rondom, of aan een boomgaard. Die heb je niet bij Waailap. Zijn boerderij ligt ingebouwd. Aan de ene kant ligt een bedrijventerrein. Aan de andere kant loopt een vierbaansweg. Meer dan tien meter zit er niet tussen de boerderij en die weg. Je hoort de auto's langsrazen, of je nou binnen of buiten staat. Waailap is rijk geworden met de verkoop van zijn land, rijk genoeg om niks meer uit te hoeven voeren. Rijk genoeg om Sheila's vriend te zijn en zo kennen we hem dus.

Waailap zat met zijn rug tegen een regenton, waar de verf van afbladderde. Hij grijnsde naar me. 'Wichie!' zei hij.

Ik zette m'n fiets tegen de schuur.

Hij wenkte dat ik dichterbij moest komen.

'Ik heb...' Hij viel stil. Hij kneep zijn ogen dicht alsof hij in de verte probeerde te kijken. Ineens wist ik zeker dat hij bij het schrijven zijn tong uitstak.

'Negroïde tandvlees?' vroeg ik.

Hij keek me aan of hij niet wist waar ik het over had.

'Het is niet belangrijk,' zei ik. 'Zijn Danny en Bruce hier soms ergens?'

Hij zwaaide onduidelijk met zijn hand. Ik wist niet of hij bedoelde dat Danny en Bruce weg waren of dat ze binnen waren. Ik liep om de boerderij heen. De deur van het voorhuis stond open, dus ik liep door, het geluid van de tv tegemoet. De vorige keer dat ik hier was, was het onopgeruimd. Nu was het een onbeschrijfelijke puinzooi. De gang lag vol reclameblaadjes, lege verpakkingen, lege flessen. Ik stapte de woonkamer in. Hier was het een nog grotere bende. Overal vuile glazen, borden met etensresten, lege chipszakken. De lucht stond stijf van de rook. Danny lag op een bank, z'n pols nog in het gips. Bruce lag op de grond. Ze keken darten.

'Kom je doen?' riep Danny, terwijl hij naar de tv bleef kijken.

Ik had geen zin om over het geluid van de tv heen te schreeuwen, dus ik liep naar het toestel en deed het uit. Danny begon te vloeken, en Bruce greep een asbak om naar mijn hoofd te smijten.

'Bericht van Harris,' zei ik.

Daar werden ze stil van. Buiten raasde het verkeer.

'Jullie hoeven niet meer te betalen.'

'Hoezo niet?'

'Ik heb voor jullie betaald.' Ik kon het net zo goed vertellen. Ze kwamen er toch achter.

Bruce stond op. 'Hoe kom je aan het geld?'

'Gekregen.'

'Gelul!' Bruce deed een stap naar me toe. 'Ik denk dat jij ons iets probeert te flikken.'

Danny was ook overeind gekomen. Hij liep naar de deur, om te voorkomen dat ik ervandoor zou gaan.

'Wil je soms dat wij tevoorschijn komen?' zei Bruce. 'Wil je soms dat Harris ons te pakken krijgt? Is dat wat je wil? Nou?'

Misschien had ik beter niet kunnen komen.

'Denk nou even na!' zei ik. 'Ik ken Harris. Ik weet waar jullie zijn. Als ik jullie echt iets wilde flikken had ik hem toch wel verteld waar jullie uithingen?'

Terwijl ik praatte liep ik achteruit, waarbij ik oppaste dat ik niet struikelde over de troep.

'Misschien heb je dat wel gedaan!' zei Bruce.

'Je komt hier met een lulverhaal…'

Hij dook op me af. Maar hij was nog altijd dik en traag. Ik sprong opzij, greep een rondslingerende biljartkeu van een stoel, pakte hem vast alsof het een honkbalknuppel was en mepte Bruce met al mijn kracht tegen zijn schouder. Hij gilde het uit, greep zijn schouder vast, en wankelde achteruit, bang voor de volgende klap. Ik had ook tegen zijn hoofd kunnen meppen of in zijn kruis of op zijn vingers. Dat had écht pijn gedaan. Ik wist wat ik deed. Ik deed hem precies genoeg pijn om weg te kunnen komen.

Ik liep op Danny af, de keu nog altijd als een knuppel in m'n handen.

'Kom maar bij dokter Tiffany!' zei ik. 'Laat maar eens zien die pols.'

Hij wist niet hoe snel hij opzij moest gaan.

Waailap zat op Sheila's fiets met één been aan de grond.

'Kijk mij,' zei hij.

Hij haalde ook z'n tweede voet van de grond. Ik denk dat hij van plan was om een of andere knappe evenwichtstruc te laten zien. De fiets viel meteen om en Waailap klapte op de grond, één been onder de fiets. Ik wachtte tot hij overeind zou komen, maar hij bleef liggen.

'Mag ik m'n fiets terug?' vroeg ik.

'Help even.'

Ik gooide de keu neer, pakte Waailap bij z'n schouder en probeerde hem overeind te trekken. Waailap sloeg een arm om me heen en drukte me stevig tegen zich aan, ik rook bier, verloor m'n evenwicht en viel op hem. Ik probeerde me los te worstelen, maar hij had me klem met twee armen. Hij was verrassend sterk.

'Ik bedoel het niet slecht,' mompelde hij.

Ik probeerde hem te schoppen, maar ik geloof niet dat ik hem raakte.

Ik voelde een hand onder mijn T-shirt. Hij bewoog over mijn buik richting mijn borsten.

Even overwoog ik om hem z'n gang te laten gaan. M'n vruchtbaarheid was tenslotte 16,9, procent, maar 0,4 procent minder dan morgen. Maar wat konden mij die procenten schelen, ik wilde niet, dus ik gaf hem een knietje. Zeg maar: knie, want ik was nog behoorlijk opgefokt van het gevecht zonet en ik hield me niet in. Waailap liet me meteen los en begon over te geven. Op mijn stuur. Ik ging staan, pakte Waailap met een hand bij z'n broek en een hand bij z'n shirt, sleurde hem van de fiets en liet hem vallen. Hij bleef liggen, kreunde, maar gaf niet meer over. Met een bloempot schepte ik water uit de regenton en spoelde de kots van het stuur. Ik stapte op en fietste weg.

Misschien denk je dat ik nu wel in de war of geschokt of verdrietig zou zijn, omdat ik bijna was aangerand, en omdat mijn broers me hadden aangevallen, terwijl ik ze juist had geholpen. Niet dus! Ik voelde me uitgelaten. Twee keer gevochten, twee keer gewonnen! Ha! Dat was wel meer iets voor de oude Tiffany, maar dan werd ik morgen wel weer de nieuwe, nu was ik gewoon blij dat ik die eikels goed op hun flikker had gegeven. En wat had ik dan gedacht? Dat Danny en Bruce me zouden bedanken? Dat ze zouden zeggen: Tiffany, wat lief dat je ons hebt geholpen, je

bent een voorbeeld voor ons, voortaan gaan we de wereld verbeteren?
Wat konden mij die lui schelen. Morgen had ik een afspraak.

Die avond hing ik buiten rond. Het leek me beter dat Sheila me
niet zag. Dat werd toch maar gezeik over geld. En ik had nog
steeds enorme zin om iemand een bats veur de kop te verkopen,
maakt niet uit wie, gewoon de eerste de beste.
Toen het donker was tilde ik zo stil mogelijk een paar dranghekken de berging uit, één voor één, en verstopte ze in de bosjes aan
de achterkant van de flat. Toen er genoeg ruimte was, stampte ik
twee kartonnen dozen plat. Ik deed de deur van de berging dicht
en ging liggen.

18

Om vijf over vijf de volgende ochtend werd ik wakker. Ik was op m'n vruchtbaarst! Ik voelde me een ander mens. Maar dat was misschien de opwinding. Ik legde een hand op mijn buik. 17,3% was natuurlijk geen 100%. Maar ik had vertrouwen in mijn lichaam. Vanavond groeide er een baby'tje in mij.
Ik sloop de trap op – een beetje houterig, want ik was zo stijf als wat. Sheila kwam zelden voor negenen haar bed uit. Ik ontbeet en ik douchte. Daarna trok ik gewoon m'n spijkerbroek weer aan. De soavrije seksmachine en ik hadden een afspraak, dus ik hoefde er niet sexy bij te gaan lopen.

Ik fietste naar Olivier. Ik drukte op de bel op het ijzeren hek. De intercom bleef stil, maar Olivier kwam wel aanlopen over de oprit. Ik schaamde me, vanwege ons schijngevecht in de regen en omdat ik hem verteld had dat ik lief, zorgzaam en geduldig wilde worden – wat had me bezield?
Maar daar ging ik nou niet over denken! Ik klauterde over het hek – moeizaam vanwege de stijfheid, maar ik had energie voor tien! Ik drukte Olivier de afgesproken zeventien euro in de hand. Hij keek ernaar, maar stak het niet bij zich.
'Doe het niet,' zei hij.
Kregen we dát weer!
'Je bent je leven kwijt en later krijg je spijt,' zei Olivier.
'Misschien wil ik mijn leven juist wel kwijt,' zei ik. 'Verder

was deze afspraak jouw idee, weet je nog? En jij hebt je geld.'
Olivier stak het geld in zijn zak.

'Jij je zin.'

Ik liep met hem mee, over de oprijlaan en langs het huis. Tussen hoge bomen stond een houten schuurtje. Olivier stak een sleutel in het slot en hield de deur voor me open. Binnen was het donker. In de hoek lag iets op de grond. Een matras. Daar schrok ik toch even van, omdat ik mezelf er al op zag liggen met een man op me en ik me afvroeg of ik net zulke geluidjes zou maken als de vrouwen op de pornodvd. Maar van dat soort gedachten ging ik me niks aantrekken.

'Probeer maar even,' zei Olivier.

Ik ging op de matras liggen. Meteen werd het nog donkerder. De deur was dichtgevallen. Ik ging rechtop zitten.

'Hee!' riep ik. 'Mag het licht aan?'

'Er ligt een zaklamp bij het hoofdeind!'

Ik tastte de grond af, vond de zaklamp, deed hem aan en scheen ermee om me heen. Tegen de achtermuur stonden een paar dozen.

'Schijn hier eens,' zei Olivier.

Er kwam een envelop onder de deur door. Ik pakte hem op en keek bij het licht van de zaklamp wat erin zat: geld.

'Het geld dat je me net gaf, en mijn deel van het oppasgeld,' riep Olivier.

Nu pas werd ik ongerust. Veel te laat natuurlijk. Sukkel die ik was.

'Ik ben geen zakenman,' zei Olivier. 'Je hebt geen afspraak.'

Dus toch! Ik voelde razernij opkomen, ik wilde schoppen en slaan, en als ik hem niet kon raken, dan maar de muur of wat dan ook. Ik beheerste me. Ik ging vandaag hoe dan ook seks hebben, als het niet hier was, dan maar ergens anders. Ik voelde aan de deur. Die zat op slot. Dat was te verwachten. Het schuurtje had geen ramen. Er zaten wel een paar kieren in het dak, waar licht in stralen doorheen viel.

'Zolang je geloofde in de seksmachine ging je niet op zoek naar een ander,' zei Olivier. 'Ik hoopte dat je intussen je verstand terug zou krijgen. Maar nee.'

Ik luisterde maar half naar hem. Ik scheen mezelf bij, terwijl ik het schuurtje doorzocht op zoek naar een bijl, stormram of ander gereedschap waarmee ik zou kunnen ontsnappen. Ik vond alleen een bordje met een banaan, vier witte bolletjes, een glas water en een glas, als ik het goed zag, verse jus.

Blijkbaar zat ik hier nog wel even.

'Ik word elke maand vruchtbaar, wist je dat?' Ik maakte de dozen open die tegen de achterwand stonden. Er zat alleen oud papier in. 'Dus je kunt kiezen. Of je sluit me hier heel lang op. Of je sluit me elke maand opnieuw op. Wat wordt het?'

'Meer dan dit had ik nog niet bedacht.'

'Luister, gek,' zei ik. 'Denk na. Dit is een achterlijk plan.'

'Weet ik.'

'Het gaat niet werken.'

'Weet ik.'

'Dus laat me er nou maar uit.'

'Nee.'

'Hoezo nee? Wat schiet je ermee op om mij hier vast te houden?'

'Ik probeer je te helpen. En nou even stil. Ik bel m'n moeder. Misschien heeft zij een idee.'

Mooi dat ik niet ging zitten wachten op haar ideeën. Ik liep naar de achterwand, sprintte naar voren en knalde met mijn volle gewicht tegen de deur. Mijn schouder deed pijn, wat kon mij dat schelen? Ik sprintte opnieuw naar voren en ramde de deur met mijn andere schouder. Het slot sprong niet open, zoals ik gehoopt had, maar de deur kraakte veelbelovend. Ik schopte zo hard ik kon met de zool van mijn schoen tegen de zijmuur. Het hout kraakte. Een paar trappen later had ik een gat. Toen was het makkelijk. Hele planken tegelijk trapte ik eruit. Het duurde niet lang of het gat was groot genoeg om door naar buiten te stappen.

Olivier stond erbij te kijken, mobieltje in z'n hand. Hij duwde met zijn middelvinger zijn bril omhoog.

'Ik ontsnap,' zei ik. 'Hou je me niet tegen?'

Hij schudde zijn hoofd. Dat speet me, want mijn schouders deden echt pijn en dat zou ik hem graag betaald zetten.

'En nu?' zei hij. 'De eerste de beste vent de bosjes in sleuren, neem ik aan?'

Ik praatte niet meer met hem. Ik liep weg over de oprijlaan.

'Wacht nou even tot mijn moeder er is,' riep hij me na. 'Ze komt zo!'

Ik luisterde niet meer. Waailap wou toch zo graag aan me zitten? Vandaag was zijn geluksdag. Of hij dat nou leuk vond of niet.

19

Voor Waailaps boerderij stond een politieauto. Ik was net op tijd om te zien hoe een agent Bruce de auto in werkte. Ik zette mijn fiets tegen de schuur. Een andere agent kwam naar buiten met Danny.

Ik had geen idee waarom ze werden afgevoerd. Maar het kwam me goed uit. Wat ik met Waailap van plan was, ging niemand iets aan.

Ineens bleef Danny staan, wees op mij, en zei: 'Het is haar schuld, agent! Zij heeft hem op ons afgestuurd!'

De agent was een vrouw, zag ik nu. Ze kwam op me af. 'Hallo. Wie ben jij?'

'Tiffany Dop. Hun halfzus.'

Ze knikte. Ze kende mijn naam. Maar waarvan? Ze gaf me een hand.

'Joyce,' zei ze. 'En zij zijn?'

'Danny en Bruce.'

Ze knikte opnieuw.

'Ik wil graag met je praten, over wat hier gebeurd is, hoe we je ouders kunnen bereiken, dat soort dingen. Ik neem je mee naar het bureau, goed?'

Nee! Niet nu!

'Ik heb geen tijd,' zei ik. 'En ik heb geen idee wat hier gebeurd zou moeten zijn.'

'Waarom heb je geen tijd?'

'Ik wil zwanger worden van een ouwe vent,' vond ze vast geen goed antwoord. Dus ik ging mee op voorwaarde dat ze mij meteen na ons gesprek terug zou brengen.

Danny schoof naar het midden van de achterbank, om plaats te maken voor mij.

'Tif! Gezellig!' Hij vond het duidelijk enorm lollig dat hij me deze streek geleverd had.

Ik was benieuwd wát precies mijn schuld was, maar ik vroeg niks. Ik wilde de rest van mijn leven zo weinig mogelijk met Danny en Bruce te maken hebben en niet met ze praten leek me een goed begin.

We reden nog maar net, toen Bruce zijn shirt omhoog deed.

'Agent!' riep hij. 'Kun je dit?'

Hij legde zijn onderarm tussen zijn vetrollen en begon scheetgeluiden te maken.

'Agent!' riep Danny. 'Kun je dit?' Hij begon een liedje te boeren. Niet *Nederland o Nederland* dit keer, maar *heb je even voor mij?* De agenten reageerden niet.

'En nu allemaal!' riep Danny. 'Kom op, Tif!'

Zo draaiden ze even later in polonaise door de draaideur het hoofdbureau binnen, boerend en scheetgeluiden makend, Bruce voorop.

Ik was hier een jaar of twee terug voor het laatst geweest. Dat was in de tijd dat ik ook nog vocht met mensen die geen familie waren. Er was weinig veranderd. Alleen rook het toen niet naar verf.

'De ontvangstruimte wordt geschilderd,' zei Joyce. 'Zullen we gewoon even hier gaan zitten? Wil je iets drinken?'

Ik zei dat ik niks hoefde. We gingen op een bankje in de grote hal zitten. Joyce begon alles te noteren wat Danny en Bruce niet hadden willen zeggen – naam, adres, telefoonnummer. Toen kwam ze ter zake.

'Tiffany,' zei ze. 'Een zekere Harris Boerema heeft aangifte gedaan tegen je broers. Ze zouden hem mishandeld hebben.'

Mijn eerste gedachte was: mooi!

'Kun je me daar iets over vertellen?' vroeg Joyce.

Mijn gok was dat ik het snelst weer buiten stond wanneer ik eerlijk was.

'Van mishandeling weet ik niks,' zei ik. 'Daar was ik niet bij. Ik weet wel dat Danny en Bruce geld geleend hadden van Harris. En dat die schuld was afgelost.'

'Harris zei dat jij betaald hebt.'

Ik knikte.

'Maar wat ik niet snap,' zei Joyce. 'Als er betaald is, waarom zouden jouw broers dan meneer Boerema nog mishandelen?'

'Dat weet ik niet,' zei ik. 'Maar ik kan het wel raden.'

Ze knikte uitnodigend.

'Ik denk dat Harris wou weten waar het geld vandaan kwam. Daarom zocht hij Danny en Bruce op. En toen herinnerden mijn broers zich dat hij Danny's pols gebroken had.'

'Dat zou kunnen,' zei Joyce. 'Waar had je dat geld trouwens vandaan?'

Daar gingen we weer.

'Dat had ik gekregen.'

'O?'

Ze geloofde me niet. Dus ik vertelde haar alles, vanaf de eerste keer dat juf Daan vroeg of ik nableef. Ik vergat dat ik haast had. Ik vond het fijn om over juf Daan te praten. Ik vertelde zelfs over de lijst met complimenten. Joyce onderbrak me niet één keer. Toen ik klaar was, geloofde ze me.

'Nog één ding,' zei Joyce, toen de politieauto stilstond voor Waailaps boerderij. 'Als je je moeder ziet, vraag je dan of ze ons belt?'

'Zal ik doen.'

Ze gaf me een hand.

'Zorg goed voor jezelf,' zei ze.

Dat was precies wat ik van plan was. Ik wachtte tot de auto uit het zicht was verdwenen. Toen pas ging ik naar binnen. De deur van het voorhuis was niet op slot en ik liep de gang in. Uit de keuken klonk gestommel. Waailap stond met z'n rug naar me toe bij het aanrecht en zette lege bierflesjes in een krat. Ik rook bedorven vlees.

'Zo...' zei ik.

Waailap draaide zich om, schrok toen hij me zag en deed een stap bij me vandaan. Nou had ik hem graag nog een bats veur d'hassens verkocht, vanwege gisteren. Maar dit was niet het goede moment. Ik zag hem loeren, zoals een poes op de stoep, doodstil, wachtend op het goede moment om links of rechts langs je te schieten. Er liep een straaltje spuug uit zijn mond.

Ik had mijn schoenen uit willen trekken. Maar ik deed het niet. Ik wilde niet. Misschien was het dat spuug op zijn kin. Misschien de herinnering aan de kotslucht van gisteren, ik wist het niet en het kon me niet schelen ook. De baby kwam later wel, volgende maand, de maand daarna, maakte het uit, ik wilde alleen weg bij die ouwe vent, weg, weg!

'Goiendààg.'

Sheila stond achter me.

'Waai, lest ons even allinnig?'

Waailap wist niet hoe snel hij zich uit de voeten moest maken.

Sheila greep me bij mijn arm en trok me naar een keukenstoel. Ik ging zitten. Het kon me niet veel schelen. Ik zou haar even over geld laten kletsen en dan was ik weg.

Sheila leunde tegen het aanrecht en stak een sigaret op.

'Gisteren kwam een zekere Harris langs. Hij vroeg waar de jongens waren. Jij had hun schuld afgelost en hij wilde ze bedanken. Zei hij.' Ze blies rook uit en nam een nieuwe haal. 'Dat vond ik een vreemd verhaal.'

Er was iets wat ik eerder niet had begrepen: hoe had Harris de jongens gevonden? Nu snapte ik het.

'Jij hebt hem verteld waar Danny en Bruce waren,' zei ik. 'En toen heb je Danny en Bruce gebeld en gezegd dat-ie eraan kwam.'

Ze vertrok geen spier en gaf geen antwoord, maar ik wist dat ik gelijk had. Waarschijnlijk had Sheila Danny en Bruce zelfs opdracht gegeven om Harris in elkaar te slaan. Omdat ze niet wou dat hij erachter kwam dat het geld van mij kwam. Omdat ze mijn geld voor zichzelf wou.

Sheila ging tegenover me zitten en staarde me in mijn gezicht.

'Hoeveel heb je nog?'

Ik stelde me Danny en Bruce voor, die Harris opwachtten. Ze gluurden langs de gordijnen, biljartkeu in de hand, vol stoere praatjes over hartstikke doodmaken. Tegelijk deden ze het in hun broek van angst.

Sheila zette haar nagels in mijn pols en kneep. 'Wij hadden een afspraak. De helft voor jou en de helft voor mij. En nu merk ik dat je twaalfhonderd hebt weggegooid! Twaalf! Honderd!'

Ze liet me los. De afdrukken van haar nagels bleven achter in mijn pols.

'Het is mijn geld,' zei ik. 'Je krijgt geen cent. Ik gooi het nog liever van de flat.'

Ik dacht dat ze me nu wel zou slaan, maar nee. Ze stond op met een gezicht alsof ik haar net een enorm plezier gedaan had.

'Dan doen we het anders,' zei ze opgewekt. 'Vanaf nu werk je voor mij. Ik regel de klanten. De eerste twaalfhonderd euro zijn voor mij. We beginnen meteen.'

Ze greep me stevig bij de arm en leidde me door de rommel

van het woonhuis, een trap op, en duwde me een kamer in. Ik hoorde hoe achter me de deur op slot gedraaid werd.

Ik stond in een zolderkamertje, met kale muren, zonder ramen. Er stond een bed en dat was het wel. Ik ging erop zitten. De deken rook muf. Het zou me niet verbazen als je dat op de gang kon ruiken.

Een klein halfuur later ging de deur weer open. Sheila kwam binnen. Ik zat nog altijd op bed, maar ze duwde me omver, ik stikte zowat in de smerige geur van de deken, Sheila ging op me liggen, haar gezicht vlak bij het mijne, haar handen drukten mijn polsen tegen het bed, en haar heupen maakten draaiende bewegingen. Ik haatte het, maar liet het mezelf niet voelen. Ik bleef kalm.

'Je doet wat hij wil dat je doet,' zei ze.

Ze kroop van me af en verdween de kamer uit. Het volgende moment kwam er een man binnen en werd de deur van buiten weer op slot gedraaid.

Het was een heel gewone, jonge man in een donkerblauw poloshirt en een spijkerbroek, waar hij zijn handen aan afveegde.

'Zo…' Hij glimlachte alsof hij zich niet helemaal op zijn gemak voelde.

Ik wilde een baby! Dit was mijn kans! Maar jammer dan. Ik was niet van plan Sheila haar zin te geven, ik piekerde er niet over. Gewoon niet, daarom niet, omdat ik dat niet wilde. Maar ook vanwege de tijdschriftmoeders. Ik vond het niks voor hen om de hoer te spelen.

Ik stond op van het bed, haalde mijn mobiel tevoorschijn, maakte een foto van het gezicht van de man, en ook nog een van de handen waarmee hij nog steeds over de zijkant van zijn broek wreef. Daar schrok-ie van. Ik stopte mijn mobieltje weer in mijn broekzak.

'Wat was dat?' zei de man. 'Dat gaat zo maar niet! Geef me dat ding!'

Ik schudde pesterig mijn hoofd, terwijl ik hem scherp in de gaten hield. Een verkeerde beweging en hij was zo goed als dood.

'Geef me dat ding! Of ik roep je moeder!'

'Het was haar idee,' zei ik.

Sheila kwam binnen. Waarschijnlijk had ze aan de deur staan luisteren. Ze duwde de man aan de kant en was duidelijk pislink.

'Wat was mijn idee?'

Ik werd een nieuwe Tiffany Dop. Lief, zorgzaam en geduldig. Maar nu nog niet.

'Goa vot.' Ik zei het op dezelfde zeurderige toon waarop zij het soms zei.

Ze wilde me vastpakken, maar ik sprong achteruit. Danny en Bruce hadden me goed getraind. Ze wilde me een klap in m'n gezicht geven, met de vlakke hand, maar ik bewoog opzij, ze miste en was uit haar evenwicht. Eén tel, meer niet. Lang genoeg. Ik haalde al uit met alle kracht die ik had en raakte haar vol op haar kaak. Ze viel en knalde met haar achterhoofd tegen het bed.

Tiffany Dop, bats veur de kop.

Waailap kwam kijken wat dat voor lawaai was geweest. Hij belde 112. De man was hem toen al gesmeerd.

Ik liep naar de stad. Pas dagen later schoot me te binnen dat ik op de fiets was gekomen en dat ik dus niet had hoeven lopen. Ik zag het bedrijventerrein rechts, de geluidswering van de snelweg links en het asfalt in een lange rechte lijn voor me. Ik hoorde het geluid van de langsrazende auto's, ik voelde de warmte. Maar tegelijk was ik nog in het zolderkamertje. Ik rook de deken en zag Sheila liggen. Ze lag zoals ze was gevallen, op haar rug, haar kin op haar borst, haar ogen dicht en haar mondje een beetje open. Een ziekenwagen kwam me tegemoet, met loeiende sirene, en scheurde langs. Ik keek hem na. Hij draaide het erf van Waailap op.

Ik belde Olivier. Ik vroeg of hij me naar Roos kon brengen.

'Op één voorwaarde,' zei hij. 'Geen seks.'

Ik was toch niet zo in de stemming.

20

We zaten naast elkaar in de trein naar Leeuwarden, ik bij het raam, Olivier bij het gangpad. Hij vroeg niet of ik nog seks had gehad. Ik begon er ook niet over. Ik was niet meer boos op hem. Hij had gedaan wat hij dacht dat goed was, dat snapte ik ook wel. Dat was toevallig mij een vuile streek leveren, maar ja.

Olivier zei dingen als: 'In Leeuwarden moeten we overstappen.'

'De boot gaat om zeventien uur dertig.'

En: 'Als alles goed gaat, zijn we er rond zeven uur.'

Ik knikte dat ik hem gehoord had, keek uit het raam en dacht aan Roos, met haar lieve gezichtje en bruine krulletjes en wat we samen zouden kunnen doen. Ik deed mijn best om niet aan Sheila te denken. Dat lukte goed, tot ik een sirene hoorde. Op een weg die parallel liep aan het spoor reed een politieauto, in dezelfde richting als wij.

Na honderd meter sloeg de politieauto af. Het geluid van de sirene stierf weg.

Om vijf voor zeven liepen we langs de slagboom van een bungalowpark. We vonden huisje 119 en liepen eromheen, een terras op. Olivier klopte op een brede glazen schuifdeur; de deur schoof open, Odette kwam naar buiten met een man, Xavier (wat je uitspreekt als Zjavjee), de vader van Roos – sinds wanneer had Roos een vader? Er werden handen geschud, Olivier dook weer weg voor Odettes hand, er werd gelachen en gepraat. Ik keek langs de mensen de woonkamer in. Roos zat in een box, rechtop.

Odette zag me kijken.

'Pak haar maar, hoor,' zei ze.

Ik liep de kamer in, tilde Roos voorzichtig onder haar armpjes omhoog, en drukte haar tegen me aan, haar wang tegen de mijne. Ze aaide met een handje over mijn lippen. Ik was zo blij dat ik haar weer vasthield, dat ik ervan moest zuchten.

Odette kwam bij me staan. Ze vroeg of ik honger had en of ze mij m'n kamer zou laten zien. We bleven dus logeren. Moest ook wel, want het was te laat om terug te gaan.

Ik sliep op een kamertje voor mij alleen in een boxershort van Olivier en een hempje van Odette. Ik kon me niet herinneren dat ik ooit eerder een kamer voor mij alleen had gehad. Als ik de nacht in het berghok even niet meetelde.

De volgende twee dagen bracht ik vooral door met Roos. Ik vond het gek dat ik gewoon mocht blijven. Maar niemand zei dat ik weg moest gaan.

We rolden een bal naar elkaar toe op het terras bij het huisje. We zaten samen in een bolderkar. Olivier trok ons naar het strand. Ik smeerde haar in met zonnebrand. Ik gaf haar eten. Ik verschoonde haar. Xavier en Odette vonden het allemaal prima, geloof ik. Het leukste vond ik het aankleden. Eerst ging ik naar de klerenkast en zocht ik kleertjes uit. Dan trok ik ze haar aan. Dat klinkt simpel, maar zo makkelijk is het niet. Je moet niet denken dat ze meewerkte. Hoe meer ze tegenwerkte hoe geduldiger ik werd. Zelfde met eten. Soms nam ze drie happen achter elkaar, maar dan hield ze haar mond ineens dicht. Uiteindelijk at ze elk bordje of potje leeg. Odette zei dat ik het fantastisch deed.

Ik was lief, zorgzaam en geduldig.

Olivier was meestal in de buurt, maar hij bemoeide zich weinig met ons. Een keer hielp ik hem met tafel dekken voor het avondeten.

'Wie was die man aan de telefoon?' vroeg ik.

'Welke man?'

'De man die deed of hij een afspraak met me had.'

'Mijn grote broer. Ik had hem over je verteld, voor het geval je de machine zelf zou willen spreken.'

Geslepen! Dat viel me niet van hem tegen.

Het was heerlijk om niet thuis te zijn. Rustig. Als ik Sheila had kunnen vergeten, zou ik gelukkig zijn geweest. Dat vergeten ging op zich niet slecht, maar soms, terwijl ik Roos verschoonde, of terwijl ik haar voerde, dacht ik ineens: misschien wordt Sheila op dit ogenblik wel begraven. Ik zag de kist zakken. Waailap, Danny en Bruce en meneer Gietema stonden erbij te kijken. Maar als je aan het verschonen of voeren bent, heb je geen tijd om lang bij dat soort dingen stil te staan.

's Avonds in bed had ik wel alle tijd. Dan zag ik de kist weer zakken. Of ik zag een foto van mezelf bij het journaal en hoorde een stem die vroeg of iedereen die informatie had over dit meisje enzovoort. Of ik zag Sheila in het ziekenhuis liggen, met verband om haar hoofd en slangetjes in haar neus, en de machines bij haar bed gingen ineens van piep piep piep, zoals dat gaat in ziekenhuisseries.

Het was de derde dag. We waren op het strand. Ik had een gele bikini aan, te groot, want geleend van Odette, maar het ging net. Olivier en ik zaten in een ondiepe plas met Roos tussen ons in. We waren even mager – Olivier en ik, bedoel ik, Roos was lekker bol. De zee was ver. Roos had een zonnehoedje op en een rood schepje in haar hand – ik had hct op haar trap zien staan, toen ik bij haar ging oppassen. Ze sloeg ermee op het water.

'Ik heb mijn moeder neergeslagen,' zei ik.

Olivier maakte met een hand een horizontale beweging.

'Echt néér-geslagen?'

Ik knikte.

'Hoezo?'

'Omdat ik dat wilde.'

Vanaf het moment dat ik de twaalfhonderd euro uit mijn bergplaats had gehaald, had ik geweten dat dit zou eindigen met een bats veur de kop. Ik had niet zeker geweten wie hem zou geven en wie hem zou krijgen. Maar dat was niet het belangrijkste. Ik had betaald omdat ik wist dat ze erachter zou komen. Natuurlijk had ze die man niet hoeven halen, en ze had ook niet op me hoeven gaan liggen. Maar ik had de ruzie uitgelokt.

'Hoe is het met haar?' vroeg Olivier.

Dat wist ik dus niet.

Olivier nam Roos op de arm en bracht haar naar Odette, die een eindje verder op een handdoek lag te lezen. Hij zette haar op Odettes billen, alsof dat een stoeltje was. Hij bracht me zijn mobiel.

'Misschien is ze dood.' Ik dacht even na. 'Misschien leeft ze nog.'

'Bel nou maar.'

Ik kroop onder prikkeldraad door naar de duinen. In een rustige duinpan ging ik zitten en belde naar huis. Iemand nam op met een harde boer.

'Hallo Danny,' zei ik.

Het bleef even stil aan de andere kant.

'Tiffany Dop, bats veur de kop,' zei hij toen.

'Hoe is het met Sheila?'

'Waarom vraag je dat aan mij? Vraag het aan die dikke zelf. Hier komt ze…'

Ik durfde het nog niet te geloven. Misschien haalde hij een grap met me uit.

Ik hoorde wat geruis, Danny die zei: 'Je dochter voor je.' Meer geruis en toen hoorde ik haar ademhaling. Sheila was aan de andere kant van de lijn. Ik had haar niet vermoord! Man, wat was ik opgelucht. Begrijp me goed: van mij mocht ze dood. Ik was alleen blij dat ík haar niet om zeep geholpen had.

'Ik kom niet terug,' zei ik.

'Mooi,' zei ze.

Ik wachtte nog even of er nog meer kwam. Maar dat was het. Ik hing op. Klik, tuut, tuut, tuut.

Ik rende terug door de duinen, sprong over het prikkeldraad, gooide Oliviers mobiel naar hem toe en sprintte verder over het brede strand in de richting van de zee. Olivier zette de achtervolging in, maar haalde me pas in toen ik in de branding heen en weer aan het rennen was voor de golven uit. Superkinderachtig, maar ik moest bewegen.

Olivier stond uit te hijgen.

Ik spetterde hem onder.

'Goed nieuws?' vroeg hij.

'Ik ga uit huis.'

Ik had niet geweten dat ik dat wilde. Maar ik wist het zeker. Dus waarom zou ik wachten? In een leven zonder Sheila, Danny en Bruce kon ik worden wie ik wilde. Met of zonder baby.